KB171606

당신이 아는 아파트 이름, 당신만 모르는 뜻

- 아파트 이름으로 재미있게 공부하는 영어 어휘

당신이 아는 아파트 이름, 당신만 모르는 뜻

발 행 | 2024년 5월15일
저 자 | 허정혁
펴낸이 | 한건희
펴낸곳 | 주식회사 부크크
출판사등록 | 2014.07.15(제2014-16호)
주 소 | 서울특별시 금천구 가산디지털1로 119 SK 트윈타워 A동305호
전 화 | 1670-8316
이메일 | info@bookk.co.kr

ISBN | 979-11-410-8461-5

www.bookk.co.kr

당신이 아는 아파트 이름, 당신만 모르는 뜻

- 아파트 이름으로 재미있게 공부하는 영어 어휘

허정혁 지음

작가 소개

허정혁 (許正赫)

집안 내력대로 어려서부터 수학이나 과학과목은 싫어했고 소설과 역사를 좋아하여 국문과나 사학과에 가서 소설가나 역사학자가 되려고 했었지만 결국 아버지(서울대 기계공학과 졸업)와 같이 사회와 타협(?)하며 살기 위해 고려대에서 경제학을 전공하였고, 순전히 운(?)으로 영국 외무성 장학금을 받아 경영전략을 전공으로 런던비즈니스스쿨(LBS)에서 MBA 과정을 공부했다. 용산 미8군에서 카투사로 군대생활을 마쳤고, 삼성전자 전략마케팅실, CJ주식회사 전략기획실, 동부그룹(現 DB그룹) 해외전략실 등에서 근무했으며, 2023년부터는 30여 년에 걸친 길다면 길고 짧다면 짧은 직장 생활을 뒤로 하고 독서와 집필에 전념 중이다. 지금껏 총 19권의 저서를 출판했으며, 평생 총 100권의 책을 쓰기 위해 오늘도 꾸준히 노력한다.

CONTENTS

들어가며 - 8P

제1부. 아파트 대용어로 사용되는 영어 단어들 - 14P

1장 Flat vs. Apartment - 평평한 것은 'Flat', 분리된 것은 'Apartment'? - 15P

2장. Villa vs. Mansion - 빌라에 살면 농노, 맨션에 살면 지주? - 21P

3장. Hill vs. Castle - 언덕에 살면 무수저, 성(城)에 살면 금수저? - 26P

4장. Xanadu vs. Palace, 제나두의 고향은 동양, 팰리스의 고향은 서양? - 32P

5장. Acro vs. Summit – 고층 아파트는 물론 저층 아파트도 모두 'Acro'와 'Summit'??? - 38P

6장. Penthouse vs. Playboy - 'Penthouse'의 라이벌이 'Playboy'??? - 43P

7장. House vs. Place – 'My house' 혹은 'My place'? - 52P

8장. Ville vs. City – 'Ville'은 'Villa' 혹은 'Village'? - 58P

9장. Sweet dream vs. Suite dream, 우리의 냉혹한 현실, 달콤한 꿈 속에서나마 모두 잊자?! - 64P

10장. Sky vs. Land, 'Sky 아파트'는 고층, 'Land' 아파트는 저층? - 72P

11장. 'Tree vs. Stone, 그리고 Forest', 산세권과 숲세권, 그리고 목세권과 돌세권 - 80P

12장. 'Garden & Park', 'Garden'은 한국에서 '갈비집'도 되고 '아파트'도 된다? 'Park'는 '야구장'도 되고 '아파트'도 된다? - 85P

13장. State vs. County, 'State'에는주지사가 살고 'County'에는 백작이 산다? - 93P

14장. Royal vs. Court, 'Royal'스러운 사람들이 사는 곳이 'Court'? - 99P

15장. Progress & View, 'Progress'를 이루려면 과거/현재/미래를 잘 'View' 해라! - 111P

16장. Prime & Tower : 바벨타워, 에펠타워, 그리고
프라임 타워 - 122P

17장. Ballade vs. Rium, 발라드에 살고, 예술에 살고!
- 130P

제2부. 아파트 브랜드 - 139P

1장. Hyperion,'천상에서 내려오는 빛' - 140P

2장. Paragon : 모범, 시금석, 그리고 다이아몬드 - 144P

3장. Sharp, 목포는 항구다, 그리고 'Sharp'는 'Flat'이다?
- 148P

4장. Metrocity, '엄마 도시' 혹은 '지하철 도시', 그것도
아니면 '도시 도시'? - 155P

5장. 'Remake'와 'Remark'가 친척이면 'Shoemaker'와
'Shoemarker'도 친척? - 164P

6장. Define, '디파인'? '드파인'? - 171P

7장. Honor, '명예의 전당'은 'Hall of Fame' 아니면 'Hall of
Honor'? - 177P

8장. Gentry, 전혀 'Gentle(젠틀)'하지 않은 'Gentrification
(젠트리피케이션)'? - 184P

들어가며

"별빛이 흐르는 다리를 건너, 바람부는 갈대숲을 지나, 언제나 나를 언제나 나를 기다리던 너의 아파트~"

1987년에 나온 이 '아파트'라는 노래, 아마도 이 글을 읽으시는 대부분의 독자분들께서 잘 아시리라 믿습니다. 한국에서 최초로 '아파트'가 건설된 1937년으로부터 정확히 50년이 되는 그 해에는 서울의 반포 1차 미도아파트와 구로주공아파트 등이 완공되었으며, 당시 기준으로는 엄청난 규모였던 목동신시가지 아파트 건설 또한 착착 진행되고 있었지요. 또한 1970년대 초부터 본격적인 개발이 시작된 강남 및 여의도 아파트는 진작에 대다수의 단지 건설이 마무리되고 입주가 완료되어 대한민국을 대표하는 부촌으로 자리잡았고요. 이에 그치지 않고 서울의 여타 지역 및 수도권을 비롯한 지방 주요 도시에서도 아파트 건설은 활발히 진행되고 있었습니다. 이렇듯 지역을 가리지 않고 대한민국의 거의 모든 곳에서 아파트가 높이 높이 올라가고 있었던 1987년이었기에 '아파트'라는 노래가 발표되어 큰 인기를 끌었던 것이죠. 그로부터 37년이 흐른 지금, 대한민국 국민의 절반 이상이 아파트에 거주하고 있고 전체 주택의 70% 가까이가 아파트이기에 이제 아파트는 한국의 대표 주거공간이라 해도 절대 과언이 아니라 하겠습니다.

이처럼 우리나라에서는 20세기 중반 경부터 아파트 건설이 시작되었지만 세계 최초의 아파트는 2천년 전 고대 로마에 지어졌다고 합니다. 그리고 최초의 현대식 아파트는 1952년 프랑스 마르세유에 철근 콘크리트로 지어진 아파트이며, 단일 건물에 337개의 가구가 입주하여 당시로는 굉장히 혁신적이면서도 거대한 거주 공간이었고요. 그 때는 2차 세계대전이 끝난 직후였기에 전쟁으로 집을 잃은 많은 사람들에게 저렴한 비용으로 주거 공간을 제공하려는 목적으로 (근대식) 아파트가 지어졌다고 합니다. 음, 하지만 작금의 우리나라 아파트는 어떻습니까? 근대 아파트의 역사가 시작된 동기와는 전혀 상관없이, 또한 전 세계 역사상 유래가 없을 정도로 고급화 및 대형화 되고 있으며 대다수의 국민이 살고 싶어하는 선망의 장소가 되어 있지요. 물론 뉴욕이나 런던에도 고급 아파트가 즐비합니다만 우리나라에서와 같이 대규모 단지가 조성되어 그 안에 상가, 산책로, 체육시설 등 온갖 편의시설이 다 갖추어져 있는 경우는 참으로 찾기 힘든 것이 사실이지요. 하지만 아파트에 이처럼 긍정적인 면만 있는 것은 아니고 층간 소음, 새 집 증후군, 좁은 공간으로 인한 불편함, 부실 공사 등 많은 문제점도 상존합니다. 이 같이 장점 및 단점이 공존하는 아파트는 이제 우리 생활 속에서 받아들일 수 밖에 없는 현실이 되어 버렸음 역시 부정할 수 없고요.

이러한 현실 속에서 저는 제가 살고 있는 공간의 주변에 존재하는, 혹은 최고 판매가를 기록했다고 언론에 보도된 아파트의 이름에 대해서 많은 관심을 갖게 되었습니다. 정체는 분명 아파트이건만 'OO스카이', 'OO아크로' 등 등 그 본질과는 전혀 무관한 아파트 이름이 굉장히 많더군요. 또한 하이페리온, 샾(Sharp), 젠트리(Gentry), 아너(Honor) 등과 같이 우리가 예전부터 잘 알고 있던 영어 단어가 아파트의 이름으로 사용되는 경우도 부지기수고 말입니다. 그래서 저는 아파트의 이름에 관한 책을 쓰겠노라 결심했습니다! 특히 영어 단어로 구성되어 있는 아파트 이름의 다채로운 뜻과 유래를 소개한 책을 말이지요.

그래서 이 책은 다음의 두 부분으로 구성해봤습니다. 먼저 제1부에서는 우리 말로는 모두 '아파트'인 'Flat'과 'Apartment'라는 단어에 대해서 알아 본 후 아파트와는 아무런 관계도 없으면서 OO 스카이, OO 아크로와 같이 아파트 대용어로 사용되는 단어의 뜻과 유래를 설명했습니다. 그리고 제2부에서는 하이페리온(Hyperion)이나 파라곤(Paragon), 젠트리(Gentry), 아너(Honor) 등과 같이 본래 영어에 존재했었던 단어를 아파트 이름으로 갖다 붙인 경우를 살펴보고 그 단어의 어원과 의미를 소개했습니다. 1부와 2부의 주제가 서로 겹치는 경우가 일부 있기도 하지만 1부에 소개된 단어는 대부분 아파트 브랜드가 아닌 '아파트'를 대체하는 '아파트 대용어'이며, 2부에 소개한 단어는 아파트 브랜드 혹은 명칭이 되겠습니다. 예를 들어 '하이페리온 스카이'의 경우 1부에서는 아파트 대용어로 사용되는 '스카이'를, 그리고 2부에서는 아파트의 브랜드인

하이페리온을 소개하는 식이죠. ^^.

"인간을 바꾸는 방법은 세 가지뿐이다. 시간을 달리 쓰는 것, 사는 곳을 바꾸는 것, 새로운 사람을 사귀는 것. 이렇게 세 가지 방법이 아니면 인간은 바뀌지 않는다". 이 명언은 세계적인 경영컨설턴트인 일본의 '오마에 겐이치'가 한 말로서 그 요점은 타성에 젖은 인간은 시간을 달리 사용하던가 새로운 사람을 사귀던가, 그것도 아니면 사는 곳을 바꾸지 않으면 절대 바뀌지 않는다는 것입니다. 그의 주장에 따르면 우리가 사는 곳은 단순한 의식주의 공간이 아닌 미래를 향해 도약하기 위해서 반드시 필요한 공간이라는 것이죠. 곧 집이란 단지 물리적인 공간이 아닌 우리의 인생을 송두리째 규정하는 공간이 될 수도 있다는 것입니다. 이처럼 집은 단순한 '집구석'이 아닌 '위대한 공간'이기에 우리가 사람의 이름을 함부로 짓지 않는 것처럼 아파트 이름 역시 심사숙고를 통해 세심하게 지어지며 우리는 이제부터 그 이름들에 대해 알아보게 될 것입니다.

"We are what we eat (우리는 우리가 먹는 음식에 의

해 규정된다)"라는 명언에 착안하여 저는 "We are where we live (우리는 우리가 사는 공간에 의해 규정된다)"라고 주장하고 싶고요, 이 책을 통해 아파트의 이름에 대한 유래와 뜻에 대한 많은 지식을 쌓음과 동시에 우리의 보금자리에 대한 새로운 가치를 발견하시길 바랍니다. 그럼 이제 이제 본론으로 들어가 보도록 하겠습니다. 자, 바로 시작합니다. ^^.

2024년 5월의 푸르른 하늘을 가슴에 담뿍 안으며,

작가 허정혁

제1부. 아파트 대용어로 사용되는 영어 단어들

제1장. Flat vs. Apartment - 평평한 것은 'Flat', 분리된 것은 'Apartment'?

"I'm in the neighborhood, hoping I could pop by your flat (나 지금 근처에 와있는데 괜찮으면 니네 아파트 잠깐 들릴까 해서)."

미국, 아니 전세계 시트콤 역사상 최고의 히트작인 '프렌즈(Friends)', 총 열 번째 시리즈까지 만들어졌던 이 시트콤의 제일 마지막 시리즈에 등장했던 대사 한 구절로 첫 번째 장을 열어 봅니다. 이 대사의 주인공은 바로 미국의 코미디언이자 배우인 제니퍼 쿨리지(Jennifer Coolidge)가 연기한 아만다 부파몬티지(Amanda Buffamonteezi, 이하 아만다)라는 캐릭터인데요, 본래 '프렌즈'의 여주인공인

모니카(Monica)와 피비(Phoebe)랑 같은 아파트에 살던 그녀는 영국에 갔다 오더니 무슨 바람이 들었는지 갑자기 어색하기 그지 없는 영국 발음(British accent)을 입에 달고 살지요. 게다가 미국보다는 영국에서 자주 쓰는 'Flat'이라는 단어를 연신 사용하고요.

음, 그렇다면 우리가 흔히 '아파트'라고 부르는 주택을 대체 왜 영국에서는 'Flat'이라고 하는 걸까요? 아마 영어에 감이 좀 있으신 분들은 우리나라나 영국, 아니 전세계 모든 나라의 아파트가 대부분 둥글거나(Round) 세모(Triangle)가 아닌 옆이나 위아래가 모두 '평평'하기에 'Flat'이라 부른다고 생각할 수도 있을 겁니다. 이에 대한 정확한 이유를 파악해 보기 위해서 어원 사전을 찾아봤더니 'Flat'은 '주택' 혹은 '바닥'을 뜻하는 게르만어인 'Flatja'에서 파생되어 '(집 안의) 층' 혹은 '바닥'이라는 의미를 갖게 되었으며, 이와는 별도로 본래 영어에서 '평평하다'라는 의미를 갖는 형용사 'Flat'이 '평평한 표면 (혹은 사물)'이라는 명사로 사용되다가 점차 '공동 주택'이라는 뜻으로 확장되었다고 합니다. 따라서 아마도 이 두 개의 어원 모두의 영향을 받아 'Flat'이 '평평한 바닥을 갖는 공동 주택', 즉 '아파트'라는 뜻을 갖게 된 것이 아닌가 하고 추측해 봅니다.

그럼 'Flat'의 미국 버전인 'Apartment'는 어떻게 '공동 주택'이라는 의미를 갖게 됐을까요? 프랑스어인 'Appartement'에서 유래한 이 단어는 본래 지금과는 조금 다른 '(같은 집에 있는 독립된) 방'이라는 뜻이었다고 합니다. 그런데 이는 'Apartment'라는 단어의 구조를 분석해 봐도 어느 정도 예측이 가능한데요, 제일 먼저 접두사 'A'가 여기서는 '어떠한 상태(in such a state or condition)'를 의미하기에 그 뒤에 'part'가 붙은 'Apart'는 말 그대로는 '부분 부분 혹은 조각 조각 나뉘어진 상태'를 나타내고 사전적으로는 '떨어진, 산산이 조각난'이라는 의미를 갖습니다. 여기에 명사를 만드는 접미사 'ment'를 갖다 붙이니 '(서로 떨어져 있는) 사물 혹은 장소'가 되는 것이지요. 아마도 여기서 좀 더 나아가 같은 집에 있는 각각의 독립된 방으로 그 뜻이 확장된 것일 거고요. 그리고 'Apartment'가 지금과 같은 '공동 주택'이라는 의미를 최초로 갖게 된 것 역시 프랑스에서였는데, 19세기 말 파리에는 산업혁명으로 부를 축적한 도시 중산층의 대거 등장 및 도심 재개발로 인해 수많은 5~8층짜리 공동 주택이 지어졌고 이로 인해 아파트 붐이 크게 일었다고 합니다. 파리지앵들은 이러한 공동 주택들을 앞서 소개한 'Appartement'라 불렀는데 미국에서는 이를 'Apartment House'라고 하다가 점차 축약되어 'Apartment'가 된 것이라고 하네요. 이처럼 서로 상이한 어원으로 인해 영국과 미국에서 공동 주택을 부르는 명칭이 달라진 것을 알 수 있습니다. 또한 1889년 프랑스가 미국의 독립을 축하하는 뜻에서 '자유의 여신상'을 선물로 주는 등 당시 두 나라가 굉장히 좋은 관계를 유지한 반면 영국과는 (미국) 독립 전쟁을 끝낸지 얼마 지나지 않았기에 미국인들이 영국의 영향력에서 벗어나기 위해 의도적으로 'Flat' 대신 프랑스에서 건너온 'Apartment'를 더 애용했을 수도 있을 것 같고요.

그리고 한 가지 더 덧붙이자면, '지하철'을 영국에서는 'Tube', 그리고 미국에서는 'Subway'라고 하는 것처럼 대체로 영국에서는 사물 (혹은 공간)의 명칭을 '외면적인 형태'에 따라서 정한다고 한다면 미국에서는 '세부적인 내부 구조나 기능'에 따라 정하는 것으로 보입니다. 위에서 설명한 'Flat' 역시 주택의 외면적인 형태인 '평평함'을 의미하다가 공동 주택을 의미하게 된 반면 'Apartment'는 주택 내부의 세부적인 공간을 구성하는 방을 의미하다가 결국에는 아파트를 의미하게 되었으니 말이죠. (아마도 이러한 양국 간의 성향 차이는, 영국은 자연 발생적으로 언어 및 국가가 형성된 반면 미국은 정치 혹은 종교적인 이유로 인한 인위적인 이주에 의해 성립된 데다가 새로운 발명품에 대한 명칭 등 많은 부분이 정부의 철두철미한 계획에 따라 만들어졌기 때문이 아닐지 조심스레 추측해 봅니다.)

자, 그럼 여기서 앞서 소개한 프렌즈의 에피소드로 다시 가볼까요? 모니카의 집 (전화) 자동 응답기에 아만다가 엉터리 영국 발음으로 "I'm in the neighborhood, hoping I could pop by your flat (나 지금 근처에 와있는데 괜찮으면 니네 아파트 잠깐 들릴까 해서)."라는 음성 메시지를 남기자 모니카는 "You're from Yonkers. Your last name is Buffamonteezi (넌 용커스 출신이고 니 성은 부파

몬티지야)!"라며 전화기에 대고 소리소리 지르지요. 이는 곧 "넌 영국 런던이 아닌 뉴욕시 근처의 용커스 출신이고 성씨는 남부 유럽 이민자 냄새가 풀풀 풍기는 '부타몬티지' 이니 이제 그 엉터리 영국 발음 좀 집어쳐! 그리고 'Flat' 타령도 그만 좀 해!"라는 말을 하고 싶은 그녀의 심정을 대변한다고 하겠습니다. 그런데 이 눈치라고는 전혀 없고 자기 과시욕은 철철 넘쳐 흐르는 아만다는 프렌즈의 남자 주인공 중 한 명인 챈들러(Chandler)에게 엉터리 영국 발음을 또 한번 써가며 다시 한 마디 하지요. "My flat is twice this size (내가 사는 아파트는 여기보다 두 배나 큰데)"라고 말입니다. 흠, 이 말이 사실인지 거짓인지 알 도리는 없지만 아파트가 큰 것을 자랑한다는 것은 바로 월세건 자가건 간에 아파트는 크면 클수록 좋다는 전제를 그 바닥에 깔고 있는데요, 여러분 생각도 그러신지요? 자, 그럼 바로 다음 장에서는 간혹 (4층 이하의) 소형 공동 주택을 의미하기도 하지만 이와 동시에 때때로는 고급스러운 대형 아파트를 뜻하기도 하는 '빌라(Villa)'와 '맨션(Mansion)'을 소개해 보도록 하겠습니다.

제2장. Villa vs. Mansion - 빌라에 살면 농노, 맨션에 살면 지주?

아마 이 글을 읽는 독자분들께서는 '빌런(Villain)'이란 단어를 최소한 한 두 번씩은 다들 들어보셨을 거에요. 잘 알려진 것처럼 이 단어는 '악당'이나 '범죄자'를 뜻하지요. 헌데 이 '빌런'은 '공동 주택'을 뜻하는 '빌라(Villa)'와도 밀접한 관련이 있다고 하네요. 그럼 지금부터 이에 대한 내막을 속속들이(!) 알아보도록 하겠습니다.

고대 로마에서 '빌라'는 본래 도시에서 가까운 곳에 위치한 '농경지'를 의미하는 단어였다고 하고요, 이러한 농토를 대량으로 소유한 귀족들이 점차 이 곳에 대규모 저택과 농장, 그리고 과수원 등을 짓기 시작하면서 '빌라'는 귀족들의 실질적인 별장 역할을 하게 되지요. 하지만 고귀한 신분을 가지신 귀족들께서 직접 농장이나 과수원에서 일을 했을 리가 만무한 것은 물론 그 분들이 이 곳에서 묵기라도 하시면 시중들 하인도 필요했기에 이 곳에는 '빌라 우르바나'(Villa urbana)'라 불리는 윗분들이 기거하시는 대저택에 더해 '빌라 루스티카(Villa rustica)'라는 농노들이 사는 주택 (마을)도 따로 있었다고 합니다. 그리고 이 '빌라 루스티카'에 살면서 (빌라에 딸린) 농장과 과수원에서 일하던 농노들을 '빌라누스(Villanus)'라고 불렀다고 해요. 그러다가 이 단어가 프랑스어 'Vilain'이 되었다가 영국으로 넘어 오면서 그 형태가 'Villain'으로 고착된 것이고요.

그렇다면 바로 이 부분에서 궁금증이 하나 스물스물 기어 올라옵니다. 대농장에서 일하던 농노에 불과했던 'Villain'이라는 가치 중립적인 단어가 어떻게 '악당'이 되었는가 하는 것이지요. 그 이유는 다름아닌 고대 로마 후기 시대에 빌라에서 일하는 농노들에 대한 억압과 수탈이 점차 심해지자 그들이 귀족에게 물리적으로 반항하는 일이 잦아지면서 'Villanus(=빌라에서 일하는 농노)' = '악당'으로 의미가 변질 되었기 때문이라고 합니다. 이에 더해 'Villanus'의 후손격인 'Villain'은 근대에 들어 '시골 사람

(=Villager)'이라는 뜻으로도 사용되었는데, 영국을 비롯한 유럽에서 급속한 자본주의화가 진행되면서 많은 부를 축적한 도시 사람들이 시골 사람들을 "촌스럽고 예의없다"고 도외시하면서 결국 '사악하고 오만불손한 나쁜 X'이라는 '악당'이라는 의미로 정착하게 된 것이고요. 어찌 보면 'Villanus'와 'Villain' 모두 자신들의 의지와는 전혀 상관없이 권력과 부를 손에 쥔 자들의 횡포로 이렇듯 나쁜 뜻이 된 것 같기도 합니다.

음, 허면 이번엔 '공동 주택'을 뜻하는 또 다른 단어인 '맨션(Mansion)'에 대해서 알아보도록 하지요. 맨션은 본래 '야간에 머무는 숙소'라는 뜻의 라틴어 'Mansionem'에서 파생된 프랑스어 'Mansion'에서 유래했다고 합니다. 하지만 13세기까지만 해도 이 단어에 '고급'이라는 뜻은 전혀 없었고 단지 '(일반) 주택' 혹은 '거주지'만을 의미했는데 14세기부터는 '대저택'이라는 뜻으로 격상되게 됩니다. 그리고 이 배후에는 흑사병으로 인한 인구 및 사회 구조의 변동이 숨어 있다고 할 수 있고요. 당시 유럽 인구는 페스트로 인해 거의 절반 수준으로 줄어 들었고 이로 인해 노동 인력이 심각하게 부족해지면서 노동자들의 임금은 큰 폭으로 올랐고 경작되지 않고 방치되는 유휴지도 늘어났습니다. 그러자 임금 상승으로 인해 대다수 농민들은 경제적인 풍요를 누리게 되고 그 중 일부는 영주의 장원에서 이탈하여 남아 도는 땅에서 농사를 지어 부농으로 성장하게 됩니다. 이러한 사회적인 변화 속에서 부를 축적한 그들은 예전과는 규모가 완전히 다른 대저택을 지어 살았을 것이고, 그 결과 평범한 '주택'을 가리키던 단어였던 'Mansion' 역시 '대저택'으로 신분이 격상된 것으로 보입니다. 그리고 16세기부터는 신대륙 발견 및 이에 따른 무역 활성화로 유럽으로 막대한 부가 유입됨은 물론 화려한 르네상스 건축의 전성기까지 겹치면서 수많은 호화로운 대저택이 지어졌고요, 그러자 이 'Mansion'은 '화려한 장식을 갖춘 웅장한 저택'이라는 뜻으로 다시 한번 계급이 상승하게 되었다고 하네요.

음, 그럼 여기서 다시 '빌라'와 '맨션'의 어원으로 돌아가 볼까요? 본래 이 두 단어는 어원상 각각 '농경지'와 '주택'을 의미하는 일반적인 단어였음에도 불구하고 역사의 소용돌이 속에서 '빌라'는 한 때 '빌런이 사는 주택'으로 격하된 반면 맨션은 '호화롭고도 웅장한 저택'이라는 뜻으로 그 신분이 꾸준히 상승하였죠. 물론 우리나라에서 현재 이 두 단어는 경우에 따라 '소형 공동 주택' 혹은 '고급 대형 아파트'라는 의미로 거의 혼용되어 쓰이지만 말입니다. 음, 그렇다면 지금 사시는 공동 주택의 이름에 '빌라'가 포함되어 있으신 분들은 사악한(?) 과거를 가진 빌라가 아닌 맨션으로 그 이름을 바꾸고 싶으실 지도 모르겠습니다. 하지만 아파트 이름을 바꾸려면 비용과 시간이 많이 소요될 테니 그냥 놔두시는 편이 좋겠고요, 그 대신 혹시라도 누가 "빌라는 원래 빌런이 사는 집이니 빌라에 사는 너도 빌런이야!"라고 비아냥거린다면 "니가 알랑가 모르겠지만 역사적으로 빌라에는 빌런이 살던 '빌라 루스티카'와 귀족이 거주하던 '대저택인 '빌라 어버나'의 두 가지 종류가 있었고 나는 귀족들이 살던 '빌라 어바나'에 살아!"라고 한 마디 쏘아 주시는 편이 더 좋으실 듯 합니다. ^^. 그럼 빌라와 맨션은 여기까지 하고, 다음 장에서는 아파트 대용어 중 언덕(Hill)과 성(Castle)에 대해서 알아보도록 하지요.

제3장. Hill vs. Castle - 언덕에 살면 무수저, 성(城)에 살면 금수저?

2020년에 개봉된 '힐빌리의 노래(Hillbilly Elegy)'라는 할리우드 영화, 혹시 들어보시거나 직접 보신 분이 계실지 모르겠습니다. 이 작품은 미국 중부의 백인 빈민촌에서 태어난 주인공이 마약과 폭력으로 가득한 불우한 가정 환경을 딛고서 변호사가 되는 인간 승리 드라마를 감동적으로 그리고 있지요. 이 영화의 원작은 현재 미국의 주류 정치인으로 맹활약 중인 '제이 디 밴스(J. D. Vance)'가 쓴 동명의 자서전으로서, 그 제목에 포함된 'Hillbilly'는 본래 미국 중부 애팔래치아 산맥의 깊은 산 속에 사는 가난한 백인들을 비하하는 멸칭이었으나 현재는 궁핍하게 사는 백인들을` 광범위하게 지칭하는 용어로 의미가 확장 되어 사용된다고 합니다. 보시다시피 이 단어는 'Hill'과 'Billy'로 구성되어 있고요, 'Hill'은 '언덕, 낮은 산'이라는 뜻이고 'Billy'는

'William'의 애칭임과 동시에 옛 스코틀랜드에서는 '친한 친구' 혹은 '성인 남성'을 지칭하기도 했기에 말 그대로는 '언덕에 사는 빌리'라는 뜻이지만 우리말로 조금 의역해 보면 '두메산골에 사는 가난뱅이 갑돌이(?)' 정도가 되지 않을까 싶네요.

음, 그런데 바로 이 순간 우리 머리 속이 조금씩 복잡해지기 시작합니다. 그 이유는 다름아닌 'Hill'의 뜻 때문이지요. 앞서 소개한 대로 'Hill'의 사전적인 의미는 '언덕' 혹은 '낮은 산'이건만 'Hillbilly'라는 단어에서는 '깊은 산골짜기' 혹은 '첩첩산중'이라는 뜻이니 말입니다. 이는 우리에게 잘 알려지지 않은 'Hill'의 어원 때문에 그런 것이고요, 아주 아주 옛날 이 'Hill'에는 '큰 산'이라는 뜻도 있었기에 'Hillbilly'에서의 'Hill'은 우리에게 친숙한 도심의 낮은 산이나 언덕과는 차원이 다른 미국의 애팔래치아 산맥에 포함된 거대한 산봉우리 같은 것들을 지칭한다는 것이죠. 'Hillbilly'와 그 의미가 유사한 'Mountainbilly'라는 속어도 있기는 합니다만...아무래도 발음하기도 어렵고 스펠링도 길기에 'Hillbilly'라는 표현이 더 애용되고 있는 듯 합니다.

한편 위의 영화가 개봉되기 23년 전인 1997년에는 '발걸음'을 부른 '에메랄드 캐슬'이라는 그룹이 큰 인기를 얻었었는데요, 본래 이 그룹의 이름은 '에메랄드 킹돔'이었지만 '왕국'이란 뜻의 '킹돔(Kingdom)'이 너무 진지하게(?) 들려서 조금 더 로맨틱한 '(에메랄드) 캐슬'로 바꿨다고 합니다. 하지만 어원적으로 보면 'Castle' 역시 한 때 꽤나 진지했던(!) 단어였기에 이 선택이 옳은 것이었는지는 불분명하다고 할 수 있겠네요. 그럼 이번엔 'Castle'의 어원에 대해서 살펴보도록 하지요.

현대를 사는 우리는 이 'Castle'을 왕이나 공주, 혹은 영주가 사는 화려하면서도 거대한 성(城)으로 알고 있지만 어원적으로 이 단어는 오히려 '군사 요새'에 더 가깝습니다. 그리고 우리가 보통 '(군사) 요새'로 알고 있는 영어 단어인 'Fortress'와의 차이점은, 'Fortress'가 순수하게 방어를 목적으로 한 군사 시설이었다면 이 'Castle' 안에는 중세에 장원을 다스리던 군주 (혹은 영주)의 주거 시설도 함께 갖추어져 있었다는 것이죠 (즉, Castle = Fortress + Luxury House). 따라서 만일 적군이 쳐들어 오기라도 하면

평상시에는 'Castle' 주변의 농토에서 농사를 짓던 농노들을 성 안으로 들어오게 한 후 성문을 걸어 잠그고 민(농노)-관(영주)-군(기사)이 하나가 되어 외적에 대항해서 싸웠다고 합니다. 하지만 세월의 흐름에 따라 점차 왕권이 강화되고 중앙 집권화가 진행되면서 'Castle'의 군사적인 중요성이 감소하였고, 이에 더해 지방 세력을 견제하려는 왕의 명령으로 성에 설치된 군사 시설이 하나 둘씩 제거되면서 요새로서의 기능을 거의 상실하게 되지요. 그 후 근세에 들어서면서부터는 주거 시설로서의 기능이 한층 더 강화되면서 웅장하면서도 화려한 유럽식 궁전의 모습을 띠게 되었다고 합니다. 결론적으로, 애초부터 로맨틱하기 그지없는 '에메랄드 캐슬' 같은 건 아예 없었고 이는 근세 이후에 새롭게 등장한 (유럽) 성의 외면에 덧붙여진 우리 머리 속의 관념에 불과하다는 것이죠.

성(城)과 관련해 한 말씀만 더 드리자면, 우리말에서의 성은 앞서 설명한 '성관(城館, 군사 요새 + 영주의 거주지)'뿐 아니라 천리장성이나 만리장성과 같이 '(선 형태로 세워진) 성벽'을 뜻하기도 합니다만 영어에서는 (앞서 설명 드린 바와 같이) 전자는 'Castle', 그리고 후자는 'Wall'로 엄격히 구분되어 있습니다. 그리고 성벽으로 보호 받는 구역에 형성된 도시를 유럽에서는 'Walled city', 'Town' 혹은 'Bourgh'라고 불렀다고 하고요, 특히 그 안의 최고 요충지에 거주하는 특권층들을 프랑스어로는 '성 안의 사람들'이라는 뜻을 가진 '부르주아(Bourgeois)'라고 불렀다고 합니다. 흠, '부르주아'라...어디선가 문득 들어본 기억이 나시죠? 네, 그렇습니다, 여러 분들이 지금 머리 속에 떠올리시는 '프로렐타리아 (무산계급)'의 반대말인 그 '부르주아'가 맞습니다. 그렇다면 성(Castle) 안 혹은 또 다른 성(Wall) 안에 사는 사람은 최고 부유층인 다이아수저까지는 아니더라도 최소한 금수저는 충분히 될 것 같네요. ^^.

자, 그럼 여기서 다시 'Hill'로 돌아가 보도록 합시다. 서울 모 부촌에 위치한 'OOO힐'이라는 아파트가 얼마 전 부동산 최고가 거래 신기록을 세우기도 했습니다만, 'Hill'의 어원과 'Hillbilly'의 뜻을 열심히 공부한 우리들에게는 납득이 잘 되지 않지요. 그 이유는 앞에서 이미 설명했으니 다시 반복할 필요는 없을 것 같고요. 하지만 혹자는 이렇게 반박할 수도 있을 것 같습니다. "에이, 이 보슈, 지구에서 제일 잘 사는 나라인 미국에서도 부촌의 대명사로 불리는 비벌리 힐스(Beverly Hills)의 이름에 'Hill'이 들어가지 않소! 그 놈의 명칭이랑 어원이 뭘 그리 중요하다고 그 난리요!"라고 말이지요. 그 말도 일리가 있으니 긴 말 하지 않겠습니다만...행여나 'Hill'에 사시는 분들은 영어 이름을 'William'이나 이의 애칭인 'Billy'로 짓지 않으시는 게 좋을 듯 합니다. 만일 그렇게 한다면 정말로 'Hill'에 사는 'Billy', 즉 'Hillbilly'가 되어 버리니 말이지요. 자, 그럼 'Hill'과 'Castle'에 대해서는 여기까지만 하기로 하고, 다음 장에서는 'Castle'과 거의 동의어로 사용되지만 한 단계 더 높은 고차원의 건축물 (혹은 지역)이면서 아파트 대용어로도 쓰이는 'Xanadu'와 'Palace'에 대해서 알아보도록 하겠습니다.

제4장. Xanadu vs. Palace, 제나두의 고향은 동양, 팰리스의 고향은 서양?

"A place where nobody dared to go, The love that we came to know, They call it Xanadu(우리 둘 외에 그 누구도 감히 넘보지 못하는 곳, 우리의 사랑이 피어난 곳, 그곳은 바로 '제나두')...", 이렇게 시작되는 팝송, 아마 한 두 번 씩은 다들 들어보셨을 거에요. 잘 모르시겠다고요? 아마 제목이나 가사는 좀 낯설지 몰라도 일단 음악을 직접 들어보시면 단번에 "아! 이 노래!"하면서 무릎을 탁(!)하고 치실 겁니다. 이 곡은 1970~80년대에 전성기를 누렸던 팝가수 '올리비아 뉴튼-존(Olivia Newton-John)'이 1980년에 발표한 노래인데요, 전세계적으로 폭발적인 인기를 누렸음은 물론 앞서 소개했었던 시트콤 '프렌즈'의 삽입곡으로 사용되기도 했었죠. 영영사전에 따르면 'Xanadu'는 '웅장하면서도 전원의 아름다움을 지닌 이상향(an idealized place of great or idyllic magnificence and beauty)'이라는 뜻이기에 비슷한 말로는 '무릉도원' 혹은 '유토피아'를 꼽을 수 있을 것 같습니다. 단어의 뜻이 이러하기에 우리나라에서는 'OOO 제나두'와 같이 고급 아파트의 명칭에 사용되기도 하지요. 음, 그런데 놀랍게도 이 단어는 몽골에서 유래했다고 하네요? 어찌된 연유인지 찬찬히 함께 살펴 보도록 하지요.

본래 'Xanadu'는 중국 원나라 황제였던 '쿠빌라이 칸(1215~1294년)'이 몽골고원 남부에 지은 별장인 '샹두(上都)'를 유럽에서 부르던 이름이며, '동방견문록'을 쓴 '마르코 폴로'에 의해 제일 처음 서방에 알려졌다고 합니다. 당시 원나라의 수도였던 베이징은 여름에 무척 더웠기에 황제는 수도에서 북쪽으로 275 킬로미터 떨어진 이 곳에 사슴과 백마가 뛰노는 사냥터와 별장을 지어놓고 여름을 보냈던 것이죠. 그런데 그 영문명이 '샹두'와 전혀 비슷하지 않은 이유는, 당시에는 '上都'를 몽골어로 '새너두(Šanadu)'

라고 했기에 영미권에서는 이와 발음이 비슷한 'Xanadu'로 변형된 것이라고 하네요. 여담입니다만, '홍콩(Hong Kong)' 역시 18세기말 이 지역의 명칭이었던 '香港(향항)'을 광동어로는 '횅꽁'이라고 발음했기에 이 명칭이 서구에 알려지며 지금의 'Hong Kong'이 되었다고 하죠.

음, 그런데 바로 이 대목에서 머리 속에 의문이 하나 뭉게뭉게 솟아 오릅니다. 그것은 바로 '웅장하면서도 전원의 아름다움을 지닌 이상향'은 당시 서구에도 많았을 텐데 굳이 왜 13세기에 유럽을 무력으로 침공해 초토화 시키기까지 한 원나라 황제의 여름 별장이 위치한 곳을 자신들의 이상향으로 여기기까지 했냐는 것이죠. 정답부터 먼저 알려드리면, 그 배경에는 영국의 낭만파 시인인 '사무엘 테일러 쿨리지(Samuel Taylor Coleridge, 이하 쿨리지)'가 1798년에 쓴 시인 '쿠빌라 칸(Kubla Khan)'이 존재합니다. 어느 날 쿨리지는 'Xanadu'에 대한 글을 읽고 아편을 피우다가 깜빡 잠이 들었는데, 잠에서 깨어 꿈에 본 광경을 글로 옮긴 것이 바로 이 시라고 하지요. 지면 관계상 전체 글을 다 소개하지는 못하지만 이 시에서는 그는 'Xanadu'

를 'stately pleasure-dome (웅장한 쾌락의 궁전)', 'sacred river(신성한 강)', 'fertile ground(비옥한 땅), ''gardens bright with sinuous rills(물결치는 실개천으로 빛나는 정원)', 'milk of Paradise(천국의 우유)'가 넘쳐나는 곳으로 묘사하고 있지요. 하지만 그가 이곳을 실제로 방문해 본 적도 없으면서 단지 다른 이가 100년 전에 쓴 글에만 근거해 이 시를 썼다는 점, 그리고 심지어 마약에 취해 몽롱한 상태에서 집필했다는 것 등을 고려해 볼 때 작품 속의 'Xanadu'와는 현실과 달라도 한참 달랐을 것입니다. 하지만 어찌됐건 간에 마약에 쩔은(?) 그의 시 덕분에 'Xanadu'는 유럽인들의 마음 속에 (동양의) 지상 낙원의 하나로 굳게 자리하게 되지요. 그래서 이 시가 발표된 지 무려 200년 후에 이 곳을 제목으로 한 영화와 팝송까지 만들어지게 된 것이고요.

그럼 이번엔 쿨리지의 시에 등장하는 'stately pleasure-dome'과 비슷한 뜻을 가진 'Palace'에 대해서 알아보도록 하겠습니다. 위에 소개한 'Xanadu'의 고향이 아시아라면 'Palace'는 태생부터 완벽한 '유로피안(European)'

이라고 할 수 있는데요, 로마 황제였던 '줄리아스 시저'의 저택이 위치해 있던 'Mons Palatinus(팔라티누스 언덕)'에서 유래한 라틴어 'Palacium'이 '왕이나 여왕이 사는 공관'을 의미하는 프랑스어 'Palais'가 되었다가 영국으로 넘어오면서 'Palace'가 된 것이라고 합니다. 그리고 이 단어는 13세기 이후부터는 '웅장하고 화려한 집'이라는 의미도 갖게 되었죠. 그렇다면 애초에 시저의 대저택이 언덕 위에 위치했던 이유는 무엇일까요? 역사전문가들에 따르면 몇 가지 이유가 있는데요, 제일 중요한 건 바로 방어에 유리했다는 점입니다. 영어에도 'Uphill battle'이라는 표현이 있듯이 경사진 곳을 오르며 싸우는 것은 매우 힘들고 고통스러운 일이지요. 매일같이 바위를 산 정상까지 밀어 올려야만 하는 그리스 신화 속의 시지프를 머리 속에 떠올리시면 이 표현이 얼마나 고되고 호된 시련을 의미하는지 아실 수 있을 겁니다. 그 외에 다른 이유로는 홍수 등 자연 재해로부터 상대적으로 안전하다는 것이고요, 마지막으로는 높은 언덕에서 자신이 다스리는 신하와 백성들을 굽어 볼 수 있기에 심리적인 우위를 점할 수 있다는 점 역시 들 수 있겠습니다. 한편 우리나라에서 이 'Palace'는 아파트 명칭으로 자주 사용되는 것에 더해 결혼식을 올리는 예식장 이름으로 사용되기도 합니다. 현재는 비록 전체 예식 수가 많이 줄어들면서 그에 비례해 그 숫자가 많이 줄어들긴 했지만 말입니다. 요즘 큰 인기를 끌고 있는 철학자이자 팩폭(팩트 폭격)의 명수인 '쇼펜하우어'가 남긴 말 중에 "천국과 지옥을 모두 경험할 수 있는 것이 사랑"이라는 명언이 있는데요, 아무리 '궁전'같은 예식장에서 결혼을 하고 '궁전'같은 아파트에서 살아도 배우자에 대한 배려와 양보, 그리고 신뢰가 없다면 그 곳은 그의 말대로 곧바로 지옥이 될 수도 있을 것입니다. 그러하기에 우리의 보금자리가 천국은 못돼도 최소한 지옥이 되지는 않도록 오늘 바로 이 순간에도 끊임없는 노력과 실천이 필요하다고 하겠습니다 (저 포함 ^^). 끝으로 우리나라에서 아파트는 '이상향' 혹은 '궁전'뿐만이 아니라 하늘 높이 솟은 고층 건물의 맨 정상이라는 뜻의 'Acro'나 'Summit'이라고도 불리는데요, 다음 장에서는 이 두 단어의 뜻에 대해서 살펴보도록 하겠습니다.

제5장. Acro vs. Summit - 고층 아파트는 물론 저층 아파트도 모두 'Acro'와 'Summit'???

이번 장의 첫 번째 주인공은 앞 장 말미에 소개한 것처럼 'Acro'인데요, 예전엔 미처 몰랐었는데 이 책을 쓰는 참에 제가 사는 동네를 열심히 둘러봤더니 'AcroOOO' 혹은 'OOOacro'와 같이 이름에 'Acro'가 들어간 공동 주택이 꽤나 많더라고요. 아마도 이는 그리스어에서 유래한 이 단어가 '정상', '1등', '가장 높은 곳' 등등 좋은 뜻이란 좋은 뜻은 다 갖고 있는 것은 물론 (그러한 의미로 말미암아) 우리나라 전역에 즐비한 고층 아파트의 이름 혹은 아파트 대용어로로 적합하기 때문인 것 같습니다. 게다가 '아크로'의 어감 역시 다소 강한 느낌을 주기도 하지만 비교적 발음하기가 수월한 편이죠. 하지만 옥에도 티가 있다고, 이 대목에서 제가 시비(?)를 굳이 하나 걸자면 'Acro'는 보통 접두사로 사용되기에 'AcroOOO'라고 하는 건 괜찮지만 'OOOacro'와 같이 단어 끝에 붙여 접미사로 사용하는 것은 문법적으로 좀 곤란하다는 것입니다. 이 같은 사실은 'Acrobatic', 'Acronym', 'Acrophobia' 등등과 같이 'Acro'가 포함된 주요 단어들만 살펴봐도 바로 알 수 있지요. 어차피 외래어인데 어떻게 쓰던 무슨 상관이냐고 하시면 별로 할 말은 없습니다만, (영어) 문법적으로는 그러하다는 것입니다. ^^.

한편 'Acro'가 포함된 단어 중 '고대 그리스 시대에 세워진 높은 고도에 위치한 도시'를 뜻하는 '아크로폴리스(Acropolis)' 역시 공동 주택의 명칭으로 꽤나 많이 애용되는데요, 옛 그리스에서는 어원상 '가장 높은(Acro) + 도시(Polis)'인 이 곳 주위에 높은 성채를 쌓고 언덕 위에는 신전을 지어 정치 및 종교의 중심지로 삼았다고 합니다. 그 중 가장 유명한 것이 아테네에 위치한 아크로폴리스로서 보통 '아크로폴리스'라고 하면 바로 이 아테네에 위치한 것을 가리키지요. 또한 이 아크로폴리스는 명실상부한 국내 최고의 대학인 S대에 있는 광장의 명칭이기도 하기에 교육열이 유별나기로 유명한 한국 학부모들이 선호하는 아파트 이름 중 하나가 된 것으로 보입니다. 그렇다면 한국에서 '아크로폴리스'라 불리는 아파트는 단순한 공동 주택을 넘어 '스카이 캐슬(Sky Castle)'의 또 다른 이름일 지도 모를 일이고요.

그럼 이번엔 'Acro'와 뜻이 유사한 'Summit'으로 넘어가 보도록 합시다. 앞서 소개한 'Acro'보다 인기는 덜하지만 간혹 'OO서밋'이라 불리는 공동 주택들이 눈에 띄는데요, 그 어원을 살펴보면 라틴어 'Summum'에서 파생된 프랑스어 단어인 'Somete'가 영국으로 넘어와 최종적으로 'Summit'이 되었다고 합니다. 앞서 소개한 대로 그 뜻은 '가장 높은 곳', '정상'이고요. 한가지 재미있는 것은, 일반적으로 'Top meeting'이라고 하면 '회사나 공공기관 등의 최고 경영자들이 만나 서로의 의견을 교환하는 회의'라는 뜻이지만 'Top'과 그 의미가 유사한 'Summit'이 포함된 'Summit meeting' 혹은 'Summit talks'는 그보다 훨씬 수준이 높은 '국가 최고 지도자 간의 회담', 즉 '정상 회담'이라는 뜻이 된다는 것입니다. 그리고 이 'Summit (meeting)'이란 단어를 최초로 국가 원수 수준으로 격상시킨 인물이 바로 여러분들께서도 잘 아시는 전 영국 총리 '윈스턴 처칠(Winston Churchill)'이고요. 이분은 유명 정치가였을 뿐만 아니라 글 재주도 뛰어나 총 70여 권에 달하는 책을 썼음은 물론 1953년에는 '2차 세계대전'이라는 회고록으로 노벨 문학상을 수상하기도 했죠. 처칠 전 총리는 자신의 뛰어난 언어 감각을 활용해 여러 가지 새로운 영어 단어들을 만들어 내기도 했는데요, 그 중 널리 알려진 것으로 'Social security(사회보장)', 'Commando(특공대)', 'Undefendable(방어할 수 없는)' 등을 들 수 있겠습니다. 여담입니다만, 본래 'Landship(지상함)'이라 불리던 무기가 'Tank(탱크)'가 된 것도 엄밀히 말해서 이 분 덕분이라고 할 수 있습니다. 그가 영국 해군장관직을 역임하던 1911년 당시 한창 개발 중이던 'Landship'은 암호라고 하기엔 너무 긴 'Water carrier for Russia(러시아향 물 운반차)'라고 불렸는데요, 이 암호명을 들은 처칠은 " 'Water carrier'를 줄여 쓰면 'WC'가 되어 'Water closet(화장실)'으로 오해될 수도 있으니 암호를 'Water tank for Russia(러시아향 물탱크)'로 바꾸는 건 어떤가?'라고 제안 (혹은 명령?)했고, 그 후 이 새로운 암호가 몇 번의 축약을 거쳐 지금의 'Tank'가 되었다는 것입니다. 음, 헌데 여러분들께서 잘 아시는 것처럼 '장갑차'를 영어로 'Armored personnel carrier'라고 하는데요, 만일 'Landship'의 암호가 '(Water) tank'로 바뀌지 않고 계속 '(Water) carrier'였다면 지금의 탱크 또한 'Carrier'로 불리고 있을 것이기에 이 둘을 구분하기가 매우 어려웠을 것 같네요. 이러한 혼동을 피하기 위해서라도 또 다른 새로운 명칭이 생겨났을 지도 모를 일이고요. ^^.

자, 그럼 'Summit'과 관련된 처칠의 일화를 끝으로 'Acro'와 'Summit'에 대한 얘기는 이쯤에서 마치고, 다음 장에서는 '아파트 최고층에 위치한 고급 아파트'를 뜻하는 영어 단어인 'Penthouse'의 여러 가지 뜻에 대해서 알아보도록 하겠습니다.

제6장. Penthouse vs. Playboy

- 'Penthouse'의 라이벌이 'Playboy'???

High Society, Club, Hustler, Genesis, Swank, 그리고 Playboy까지. 이 단어들 중에는 아마 여러분들이 잘 알고 있는 것도 있을 테지만 생소한 것도 물론 있을 텐데요, 사전적인 의미와는 크게 상관없이 이들에게는 공통점이 하나 있습니다. 음, 혹시 'Playboy'라는 아주 강력한(!) 힌트 때문에 이미 알아차리신 분이 계실 지도 모르겠습니다만... 그 공통점이란 바로 이들 모두 미국에서 발행되는 남성용 성인잡지의 명칭이라는 것이지요. 네? 저런 잡지에 얼마나 푹~ 빠져 살았으면 이름을 줄줄 꿰고 있냐고요? 여기에는 가슴 아픈(?) 사연이 하나 숨어 있으니 한 번 들어 보시죠...

지금으로부터 약 30여 년 전인 1992년 11월경으로 기억됩니다. 당시 저는 서울 용산에 위치한 미8군 기지에서 카투사 헌병으로 복무 중이었는데요, 아침에 근무를 시작하자마자 부대 안에 있는 미군 PX(Post Exchange, 군대 내 마트) 중 한 곳이 털렸다는 신고가 들어와 바로 출동했지요. 아니, 그런데 이게 웬일입니까? 이 변태(?) 도둑이 다른 건 전혀 손도 안대고 성인용 잡지만 싹쓸이를 해갔으니 말입니다. 어쨌거나 사건 보고를 하기 위해선 절도품 목록을 작성해야 했기에 텅~ 비어버린 (성인용 잡지) 진열대 앞에 쭈그리고 앉아 한국인 PX 사장님께서 불러 주시는 데로 절도품 목록을 작성하기 시작했죠. 아, 그런데 그때까지만 해도 순진(?)했던 저는 이런 류의 잡지들 중에서 'Playboy' 정도 밖에 몰랐었는데 정말로 생소한 잡지들이 굉장히 많더라고요. 그래서 근무를 마친 후 이 잡지들의 명칭이 무슨 뜻인지 알아 보기 위해서 열심히 영어 사전을 들춰보았지요.

제일 먼저 'High Society'는 뭐 당연히 '상류 사회'일테니 그냥 통과하고요, 'Club'에는 우리에게 친숙한 '술 마시고 춤추는 장소'라는 뜻 외에도 'Golf club(골프채)'에서와 같이 '방망이'라는 의미도 있지요. 물론 '(친목) 동호회'

를 뜻하기도 하고요. 그 다음의 'Hustler'는 뜻이 좀 많은데요, '도박사', '(초심자를 도박판으로 끌어들이는) 삐끼', '매춘부' 등등의 불량한(?) 의미에 더해 '과감한 플레이를 하는 스포츠 선수'를 의미하기도 하죠. 내기 당구로 남의 돈을 뜯어내는 도박사의 이야기를 담은 1961년에 만들어진 동명의 영화가 있기도 합니다. 그리고 'Genesis'는 '기원', '시작' 등을 뜻하고요, 성경에서는 '창세기'를 의미합니다. 또한 여러분들께서도 잘 아시는 세계적으로 유명한 자동차 브랜드이기도 하며, 영국의 유명 가수인 'Phil Collins(필 콜린스)'가 리더를 맡았던 팝 그룹의 이름이기도 하지요. 그 다음 차례인 'Swank'는 상대적으로 잘 알려지지 않은 단어인데요, 그 뜻은 '으스대다', '뻐기다'가 되겠습니다. 마지막으로 'Playboy'는 다들 잘 아실 테니 그냥 넘어가도록 하겠습니다. 음, 그런데 이들 잡지의 이름을 소개해 놓고 보니 'Club', 'Swank', 'Hustler', 'Playboy'는 그렇다 쳐도 대체 왜 'High Society', 'Genesis'와 같이 고상한(?) 단어를 성인용 잡지의 이름으로 갖다 붙였는지는 참으로 의아한 일이네요. 어쩌면 일반적으로 저속하다는 평가를 받는 이런 잡지들의 위상을 조금이라도 끌어 올리기 위해 저런 이름을 붙였는지도 모르고요, 혹은 19세기까지만 해도 저런 야한 사진이나 그림을 즐길 수 있는 특권은 아주 부유한 계층에게만 국한되었기에 이 잡지를 탐독하는 동안만이라도 마치 상류사회(High Society)의 일원이 된 것처럼 느껴보라는 의미에서 그렇게 지은 것일 수도 있을 것 같습니다. 제가 사는 동네에 '진순이'라는 이름을 가진 불독이 있는데, 그 주인 왈, "본래 반려 동물 이름은 깊이 생각하지 않고 그냥 생각나는 데로 짓는 거랍니다!" 라고 하더군요. 이와 마찬가지로 이들 잡지의 이름 역시 창업자들이 그냥 머리 속에 떠오르는 데로 갖다 붙였을지도 모르겠습니다. 그 뒤에 숨겨진 사연이야 그들만 알겠죠 …

아, 그런데 제가 깜빡하고 빼먹은 잡지가 하나 있는데요, 그것이 바로 이 장의 주인공이기도 한 'Penthouse'가 되겠습니다! 이른바 (종이) 잡지의 최고 전성기였던 1980~90년대에 큰 인기를 얻었던 수많은 성인용 잡지 중에서도 'Playboy'와 더불어 양대 산맥을 형성했던 바로 그

'Penthouse'이지요. 하지만 여러분들께서 반드시 알아 두셔야 할 것이 하나 있는데요, 이 두 잡지에는 다른 도색 잡지들과는 차별화된 특징이 하나 있었다는 것입니다. 그것은 바로 지면의 대부분을 음란 사진으로 가득 채운 여타의 성인용 잡지들과는 대조적으로 'Playboy'와 'Penthouse'에 실린 야한 사진은 끽해야 10장 미만이었고 나머지는 일반 잡지에나 실릴만한 건전한(?) 글이 대부분이었다는 거죠. 특히 'Playboy' 같은 경우는 총 100여 페이지 중 4~5장 정도의 야한 사진을 제외하면 정치-경제-국제 이슈와 관련된 꽤나 심도 깊은 글들이 많이 실렸었습니다. 소설이나 인터뷰 기사도 수준이 매우 높았었고요. 그러한 고로 저는 당시 제 룸메이트이자 이 잡지의 열렬한(!) 구독자였던 'Sergeant Johnson(존슨 병장)'과 함께 'Playboy'를 읽고는 국제 정치에 대한 심도 높은(?) 토론을 벌이기도 했었지요. 여담입니다만, 제가 제대 후 학교에 복학하자 만나는 친구마다 저에게 "아니, 군대 가서 영어 공부를 얼마나 열심히 했으면 영어 실력이 이렇게 늘었어?"라고 묻더군요. 그 때마다 저는 "내가 알고 있는 영어는 모두 'Playboy'에서 배웠노라!"라며 너스레를 떨곤 했습니다. ^^.

아, 얘기가 조금 곁길로 샜는데, 이제 다시 'Penthouse'로 돌아가 보도록 합시다. 이 단어의 뜻은 여러분들도 잘 아시다시피 '공동 주택이나 호텔의 최고층에 위치한 고급 주거 공간'이 되겠고요, 어원적으로는 '아파트 옥상에 독립적으로 지어진 작은 집'을 의미합니다. 가장 높은 층에 위치하는 만큼 전망이 기가 막힘은 물론 테라스나 옥상 등의 공간을 더 넓게 사용 할 수 있다는 장점도 있지요. 최근 우리나라에 지어진 초고가 펜트하우스 중에는 복층 구조도 많고 실내 디자인 및 인테리어 등의 수준도 (아래 층에 위치한 다른 집들과 비교할 때) 차원이 달라도 크게 다르다고 합니다. 이러한 고로 수많은 고급 아파트들이 'Penthouse'가 포함된 이름을 사용하고 있기도 하고요. 아마도 지금이 1990년대라면 당시 너무나도 유명했던 동명의 성인용 잡지 때문에 이 단어를 고급 아파트의 명칭으로 갖다 붙이기가 좀 부담스러웠을지도 모르지만, 새천년 들어 급속히 확산된 인터넷의 여파로 이 잡지의 판매 부수가 대폭 감소하면서 이제는 뭇 사람들의 기억에서 거의 사라져 버려 고급 아파트의 이름으로도 별 탈없이 사용되고 있는 듯 합니다. 한 때 이 잡지의 호적수였던 'Playboy' 역시 판매 부수가 급감하면서 이제는 온라인으로만 출간된다고 하죠. 아, '화무십일홍(花無十日紅, 아무리 아름다운 꽃도 열흘을 넘기지 못한다)'이라고, 이제는 이 잡지들을 '성인용 잡지의 양대 축'이라 부르기도 아주 거시기한 시대가 되고 말았습니다. 예전 1980년대 팝송 중에 'Video killed the radio star(비디오가 라디오 스타를 죽여버렸네)'라는 곡이 있었는데, 만일 성인용 (종이) 잡지의 쇠락이 계속된다면 아마도 "(Online) Video clips killed dirty magazines (인터넷 동영상이 야한 잡지들을 다 없애버렸네)"라는 노래가 나올 지도 모를 일입니다.

용산 미군부대에 대한 이야기로 이 장을 시작했으니 마무리 역시 그 곳에 대한 이야기로 하도록 하겠습니다. 용산기지에 주둔해 있던 인력과 시설의 대부분이 이미 평택으로 이전했습니다만 제가 용산에 근무하던 1990년대 초까지만 해도 이 장 첫머리에 소개했던 PX에서 그리 멀지 않은 곳에 'Townhouse(타운하우스)'라 불리던 건물이 있었습니다. 그 곳은 빨간 벽돌로 깔끔하게 지어진 네모난 단층 건물이었는데요, 간단한 식사 및 음료/주류를 판매하는 레스토랑과 생활용품/문구 등을 판매하는 슈퍼마켓 등 두 개의 구역으로 나뉘어져 있었죠. 그래서 저는 이 'Townhouse'의 뜻이 '도심에 위치하면서 식당 및 슈퍼를 겸하는 매장 (혹은 건물)'일 것이라고 생각했었는데, 사전을 찾아봤더니 그 의미가 '단독 주택과 공동 주택을 적절히 혼합해 놓은 주거 공간으로서 1~2층의 단독주택이 여러 가구씩 모여 정원과 담을 공유하는 주택 형태'이더군요. 우리 식으로 쉽게 설명하면 1~2층짜리 연립주택들을 서로 떨어뜨려 놓지 않고 옆으로 쭉~ 붙여 놓은 형태라 하겠습니다. 그렇다면 왜 (연립) 주택들을 다닥다닥 붙여 놓은 걸까요? 그 이유는 'Townhouse'의 이름에서도 알 수 있듯이 이들 주택이 대부분 땅값이 만만치 않은 도심(Town)에 위치하기에 공간 활용도를 최대한 높이기 위해 주택과 주택 사이를 떨어뜨리지 않고 옆으로 다닥다닥 붙여 놓은 것 같습니다. 아마도 용산 미군부대 안에 위치했던 'Townhouse'라 불리던 건물은 '(타운하우스의 집들이 모두 옆의 집과 붙어 있듯이) 레스토랑과 슈퍼가 한데 붙어 있는 매장'이란 뜻에서 그렇게 지은 것이 아닌가 추측해 봅니다. 혹은 이 건물이 고풍스러운 붉은 색 벽돌로 지은 'Townhouse'를 떠올리게 하기에 그랬을 수도 있고요. 한편 이 'Townhouse'에는 교외에 사는 부자가 도심에 소유한 아파트라는 뜻도 있는데요, 한 마디로 말해서 도심 중심부에 위치한 부자의 'Second home(두 번째 집)'이 되겠습니다. 자, 그럼 'Penthouse'와 'Townhouse'에 대해서는 여기까지만 하기로 하고, 다음 장에서는 이 두 단어에 모두 포함된 'House' 및 그와 엇비슷한 의미로 사용되는 'Place'에 대해서 알아보도록 하겠습니다.

제7장. House vs. Place - 'My house' 혹은 'My place'?

난생 처음 보는 사람이라도 단번에 그의 이력과 성격을 파악해 내는 놀라운 관찰력 및 추리력, 뛰어난 변장과 연기 실력, 문학/철학/역사 등 인문학 분야에 해박한 지식 보유, 식물학/화학/해부학/천문학 등 자연과학에도 전문가 수준, 프랑스어/이탈리아어/독일어/라틴어를 자유자재로 구사하는 외국어의 달인, 고문서(古文書) 해독과 바이올린 연주에도 일가견이 있음, 권투와 펜싱에 능해 그 누구와 맞붙어도 전혀 밀리지 않음...

이번 장은 유명 추리소설의 주인공인 한 탐정에 대한 이야기로 문을 열어 봤습니다. 이 탐정이 보유한 역량을 위와 같이 나열해 봤는데...아, 이 정도면 웬만한 슈퍼 히어로(Super hero)는 뺨칠 정도의 엄청난 괴력의 소유자인 듯 합니다. 그렇다면 이 탐정이 누구인지 혹시 아시겠는지요? 네, 그렇습니다, 바로 이 분이 세계에서 가장 유명한 탐정인 영국의 'Sherlock Holmes(셜록 홈즈, 이하 홈즈)'가 되겠습니다. 그런데 홈즈는 소설과 영화 속에서만 맹활약한 것이 아니라 2004년부터 2012년까지 전세계적으로 큰 인기를 끌었던 미드(미국드라마)인 'House M.D. (닥터 하우스)'가 탄생하는 데에도 막대한 공헌을 했다고 합니다. 그 말인즉슨 이 드라마의 주인공인 'Gregory House(그레고리 하우스)'의 모델이 다름아닌 홈즈라는 것이죠. 둘 다 성격이 예민하고 괴팍한데다가 상대방의 감정에는 전혀 신경쓰지 않는 '팩폭(팩트 폭격)'의 명수이며, 주변의 아주 사소한 움직임만 보고서도 해박한 지식과 날카로운 관찰력으로 문제의 핵심을 바로 파악해 버리죠. 언뜻 이들은 '넘겨 집기의 고수'인 것처럼 보이기도 하지만 확고부동한 팩트/증거/지식을 근거로 정밀한 추리 및 분석을 거쳐 결론을 도출해 내기에 대충 때려 맞히는 것과는 차원이 달라도 한참 다르다고 하겠습니다. 이외에도 이 둘의 공통점으로 성씨(Family name)를 들 수 있는데요, 홈즈의 성은 영어로 'Holmes'이지만 발음은 'Homes'와 같기에 그를 모델로 한 드라마 주인공의 이름을 이와 비슷한 뜻을 가진 'House'라 한 것이라고 하네요. 음, 그렇다면 'House'라는 성은 드라마 속에만 존재하는 상상의 산물일까요? 그렇지 않고요, 실제로 이 성을 가진 사람은 꽤나 많을뿐더러 백과사전에 소개된 유명인사만 해도 수십 명에 이릅니다. 다른 성씨와 마찬가지로 그 확실한 유래는 알 수 없지만 가장 유력한 것은 '종교 시설(Religious house) 혹은 일반 가정(House)에 고용되어 여러 가지 가사일을 돌보던 노동자'를 부르던 말이 차츰 그들의 성씨로 굳어진 것이라고 하네요.

한편 'House'는 우리 말로는 '집'이지만 엄밀히 따지면 '집' 중에서도 '단독 주택'을 의미한다고 하겠습니다. 그러나 넓게 보면 아파트와 같은 공동 주택도 어차피 사람이 거주하는 '집'이기에 우리나라에서는 아파트의 대용어로도 많이 사용되지요. 이는 제가 약 2년 동안 유학 생활을 했던 영국 런던에서도 마찬가지였는데요, 제가 살던 곳이 부부 유학생들을 위한 아파트(Flat)였음에도 그 공식 명칭은 'International students house'였습니다. 이 'House'와 관련해서 우리 말과 영어 표현 간의 한 가지 차이점을 소개하면, 우리는 보통 자신이 거주하는 집을 가리켜 '우리 집'이라고 합니다만 영어로는 'my house'라고 하지 않고 'my place'라고 한다는 것입니다. 이는 'my house'라고 하게 되면 '내가 사는 집'이라는 뜻 외에도 '내가 법적으로 소유한 집'이라는 의미도 되기 때문이지요. 예전 한국에서 유행했던 농담 중에, 한 학생이 자기 친구 집으로 전화를 걸어 "거기 개똥이네 집이죠?"라고 하자 전화를 받으신 개똥이 아버지께서 "뭐? 여기가 개똥이 집이라고? 이 집은 내 집이다, 이 놈아!"라고 역정을 내셨다는 우스개가 있지요. 이와 마찬가지로 아무리 현재 자신이 거주하고 있다고 해도 실제 소유주는 자신의 부모님일 수도 있고 혹은 남의 집에서 전세나 월세를 살 수도 있는 것이기에 'my house'라고 하면 굉장히 어색한 표현이 된다는 것이죠. 그래서 미국인들은 소유 여부와는 전혀 무관하면서도 단순히 현재 살고 있는 곳이라는 뜻에서 '(my) place'라고 한다고 합니다. 여담입니다만, 이제는 다들 휴대폰을 들고 다녀 집 전화가 있는 가정은 거의 없기에 개똥이 친구랑 개똥이 아버지가 통화할 일은 거의 없겠네요...

그리고 이 'Place' 역시 'House'와 마찬가지로 우리나라에서는 아파트의 대용어는 물론 카페 이름으로도 인기리에 사용되고 있기도 하지요. 그런데 영어를 모국어로 사용하는 사람들은 한국의 어느 카페가 이름으로 사용 중인 'OOO some place'와 같이 숫자 뒤에 'some'이 붙은 명칭에 대해 굉장히 어색하다는 반응을 넘어 어떻게 저런 표현을 상호명으로 사용할 수 있냐며 심한 거부감을 표시하기도 합니다. 이는 아마도 미국인이나 영국인이 보기에 숫자 뒤에 'some'이 붙은 표현이 경우에 따라서는 성적(性的)인 뉘앙스를 짙게 풍겨서 그렇다고 하는데요, 이와 비슷한 예로 'Penetration'이라는 단어를 들 수 있을 듯합니다. 우리는 단순히 이 단어의 뜻을 '침투', '관통' 등으로 알고 있기에 예전 국내의 한 동물원에서 물개나 돌고래가 보여주던 '링 통과 묘기'를 영어로 표기하는데 사용하기도 했었는데요, 이 단어의 속어로서의 의미가 성적인 것과 밀접한 관련이 있기에 외국인들은 그 표현이 굉장히 낯 뜨겁다고 하더라고요. 동물 학대 논란 등으로 이미 이 동물 쇼는 폐지되었고 'OOO some place'라는 카페 역시 지금으로부터 꽤나 오래 전인 20여 년 전에 만들어 졌기에 이제 와서 이름을 바꾸기는 어렵겠습니다만 앞으로 동물 쇼나 아파트/카페의 영어 명칭을 지을 때는 보다 더 철저한 검증이 요구된다고 하겠습니다. 아무리 한국의 한 가구당 평균 구성원이 3인이라고 해도 아파트 이름을 'three some place'라고 명명해 외국인들의 비웃음을 사거나 눈살을 찌푸리게 하는 경우는 더 이상 없어야겠기에 드리는 말씀입니다. 자, 'House'와 'Place'에 대해서는 여기까지 하도록 하고, 다음 장은 우리 말로는 시골(?)에 위치한 아파트인 'Ville'과 이의 반대말이라 할 'City'에 대해서 알아보도록 하겠습니다.

제8장. Ville vs. City - 'Ville'은 'Villa' 혹은 'Village'?

우리나라에는 부산, 울산, 마산, 안산, 오산, 군산 등과 같이 '산(山)'으로 끝나는 지명이 굉장히 많습니다. 이에 더해 인천, 영천, 금천, 순천, 합천, 진천 등 '천(川)'으로 끝나는 지명 역시 많지요. 어디 그 뿐인가요, 광주, 원주, 청주, 충주, 파주, 양주 등과 같이 '州'로 끝나는 지명도 부지기수이고요. 이 지역들이 이러한 이름을 갖게 된 이유는 아마도 각 지역에 큰 산이나 하천이 있기 때문인 것으로 보입니다. 영어에도 우리 말과 같이 단어의 끝에 붙어 '~마을' 혹은 '~도시'라는 뜻을 갖는 접미사가 꽤나 많은데요, 이 장에서는 그러한 접미사들을 소개해 보도록 하겠습니다.

제일 첫 번째로는 앞서 몇 번 소개했었던 '~town'을 들 수 있겠습니다. 이 접미사가 포함된 유명한 곳으로는

'Jamestown', 'Elizabethtown', 그리고 'Jeffersontown' 등이 있지요. 두 번째는 '농장(Farm)', '작은 마을(Hamlet)' 등의 의미를 지닌 '~ton'으로, 'Boston', 'Arlington', 'Kingston' 등에서 그 흔적을 찾아 볼 수 있습니다. 다음 차례는 그 뜻을 굳이 소개하지 않아도 될 정도로 유명한 'Field'이며, 'Ashfield', 'Chesterfield', 그리고 인기 애니메이션인 '심슨 가족(the Simpsons)'이 사는 'Springfield' 등에 포함되어 있습니다. 네? 'Springfield'는 실제로 존재하는 것이 아닌 애니메이션에 등장하는 가상의 지명 아니냐고요? 아니요, 절대 그렇지 않고요, 미국만 해도 저 이름을 가진 곳이 수십 곳에 이릅니다. 어원사전에 따르면 저러한 지역에 (땅에서 물이 콸콸 쏟아져 나오는) '옹달샘(Spring)'이 있어서 'Springfield'라는 지명을 갖게 된 것이라고 하네요. 네 번째로 소개할 접미사는 '~bury'이고요, 이의 원뜻은 '요새(Fort)'라고 합니다. 아마도 외적의 침략을 막기 위한 요새 주변에 형성된 마을을 지칭하는 것으로 보입니다. 그 예로는 'Danbury', 'Sudbury', 그리고 유명 슈퍼 체인이기도 한 'Sainsbury' 등이 있지요. 그 다음 차례는 앞서 등장했었던

'bourgh'가 살짝 변형된 'burgh'로 그 뜻은 '성(城)'이 되겠고요, 그 예로는 'Pittsburgh', 'Edinburgh', 'Greenburgh' 등을 들 수 있겠습니다. 이 외에도 '~port', '~hampton', '~cester', '~by', '~ford' 등이 단어의 뒤에 붙어 '~마을' 또는 '~도시'라는 뜻을 갖지요. 그리고 이러한 종류의 접미사 중 이 장의 주인공인 '~ville'도 있고요.

그런데 하나 재미있는 것이, 이 'Ville'의 조상 단어가 바로 'Villa'라는 것입니다. (앞서 설명한 것처럼) 고대 로마에서 'Villa'는 본래 도시 인근의 '농경지'를 뜻했지만 점차 이 곳에 농장과 '빌라 우르바나'(Villa urbana)'라 불리는 윗분들이 기거하시는 대저택 및 '빌라 루스티카(Villa rustica)'라는 농노들이 사는 집이 지어지면서 이러한 주택들이 밀집되어 있는 마을로 의미가 확대되었다고 합니다. 그리하여 영어에서는 단어 뒤에 'ville'을 붙여 Louisville, Abbeville, Jacksonville 등과 같이 주로 도시나 마을의 지명으로 사용합니다만 우리나라에서는 많은 경우 아파트 대용어로 쓰이는데요, 그 이유는 아마도 서양의 도심에는 2~3층 정도의 단층 아파트들이 별다른 편의 시설 하나

없이 빽빽이 들어서 있지만 한국에는 대규모 아파트 단지 내에 공동 주택뿐 아니라 산책로, 놀이터, 병원/은행/유치원/학원 등이 입주한 상가 등이 조성되어 거의 하나의 '마을' 수준이기에 'ville'이 아파트 이름에 사용되는 듯 합니다. 음, 그렇다면 'ville'의 조상 격인 'villa'에서 일하던 농노를 가리키는 단어인 'Villnus'가 지금의 'Villain'이 되었으니 '빌'에 사시는 분들은 모두 '빌런'이 되겠네요. ^^.

한편 'ville'과 생김새와 뜻이 유사한 'Village' 역시 공동 주택의 이름으로 많이 사용되는데요, 이 또한 'Villa'와 엇비슷한 의미의 라틴어 'Villaticum'이 프랑스로 건너가 'Vilage'가 됐다가 영국으로 넘어와 'Village'가 됐다고 하네요. 'Villa'와 마찬가지로 이 'Village' 역시 대부분 도시가 아닌 전원 지역에 위치한 마을을 가리킵니다. 그리고 이 단어와 의미가 유사한 단어로 'Hamlet'과 'Town'을 들 수 있는데요, 크기 순으로 볼 때 'Hamlet'이 가장 작고, 그 다음으로 큰 것이 Village, 그리고 가장 큰 것이 'Town'이라고 합니다. 그리고 'Town'이 여러 개 모이면 'Uptown'과 'Downtown'으로 구성된 'City'가 되고요. 헌데 'Village'는 앞서 소개한 것처럼 일반적으로 '한적한 전원 지역(Rural area)에 위치한 마을'이라는 뜻입니다만 우리나라에서는 이러한 뜻과는 상관없이 서울 도심 한복판에 위치한 아파트의 이름에도 'Village'가 포함되어 있죠. 반면 수도권에서 멀리 떨어진 시골에 위치하면서도 'City'라는 이름이 들어간 아파트도 굉장히 많고요. 이름 갖다 붙이는 거야 엿장수(?) 맘대로겠지만 그 어원과 뜻을 확실히 알고 붙였으면 하는 마음 간절합니다.

자, 그럼 'Village'가 이름에 들어간 'Village people'이라는 유명 팝 그룹을 소개하면서 이 장을 마치도록 하겠습니다. 이 그룹은 'YMCA', 'In the navy', 'Can't Stop the Music'와 같은 디스코 음악으로 1970년대 말 및 1980년대 초에 전세계적으로 선풍적인 인기를 얻었었는데요, 이 팝그룹의 노래만큼이나 인상 깊었던 것은 이들의 의상이었습니다. 즉, 모든 남성 멤버들이 경찰관, 해군 장교, 카우보이, 폭주족, 아메리칸 원주민, 건설 노동자, 군인 등의 다양한 의상을 입고 나와 흥겹게 노래 부르며 춤을 춰댔던 것이죠. 그런데 이들의 무대 의상 컨셉은 당시 동성애자 클럽에서 큰 인기를 얻었던 것들이라고 하네요. 우리나라도 그렇습니다만 한적한 전원마을인 'Village'에는 대부분 나이가 지긋하시고 (정치) 성향 역시 꽤나 보수적인 분들이 거주하시는 경우가 많은데 지금으로부터 거의 50여 년 전에 이와는 대조적인 컨셉의 'Village people'이 등장한 것에 대해 어떻게 생각하셨을지 자못 궁금하네요. 자, 그럼 이번 장은 이렇게 마치고 다음 장에서는 'Sweet Dream'과 이와 발음이 같은 'Suite dream'을 이름으로 한 아파트와 관련된 여러 가지 내용을 알아보도록 하겠습니다. ^^.

제9장. Sweet dream vs. Suite dream, 우리의 냉혹한 현실, 달콤한 꿈 속에서나마 모두 잊자?!

첫 번째 노래 가사 : "Close your eyes, I want to ride the skies in my sweet dreams (눈을 감아요, 그리고 달콤한 꿈 속에서 나와 함께 하늘 높이 날아 올라요)"...
두 번째 노래 가사 : "Sweet dreams are made of this, Who am I to disagree? (달콤한 꿈이란 건 바로 이런 거야, 그 누구라도 동의 할 수 밖에 없을걸?)"...
세 번째 노래 가사 : "It's gonna be another day with the sunshine(따사로운 햇살과 함께 또 하루가 시작되네)...When we can get together right remember night(우리가 함께 했던 그 밤을 기억해)"...

이번 장은 'Sweet dream(s)'라는 제목을 가진 노래들로 문을 열어 봤습니다. 혹시 첫 번째 노래, 누가 부른 곡인지 아실런지요? 이 노래를 아신다면 아마 나이가 좀 지긋하시던지 아니면 팝음악의 열렬한 팬이실 듯 합니다. 이 곡은 호주의 록그룹인 'Air supply'가 1981년 발표한 노래이고요, 이 그룹의 명칭이 참 재미있습니다. 'Air supply'란 군사 용어로서 '공중(Air)을 통해 전달된 보급품(Supply)'이라는 뜻이고요, 전쟁과 같은 극한 상황에서 적진에 고립된 아군이나 민간인들에게 전달되는 식량과 의복 등을 뜻한다고 합니다. 즉, 비행기가 드높은 창공을 빠른 속도로 날면서 생활 필수품 꾸러미를 지상에 있는 사람들에게 떨어뜨리는 것이죠. 각종 물품으로 가득 찬 꾸러미가 땅에 떨어지면서 파손되거나 사람들을 다치게 할 수도 있기에 보통 이런 짐에는 낙하산이 하나씩 달려있기도 합니다. 일반적으로 'Air supply'보다는 'Air lift(혹은 Airlift)'가 더 자주 사용되지만 이 그룹의 이름은 (그룹) 구성원 간에 형성된 음악적 공감대를 뜻함은 물론 전세계 팬들에게 공기(Air)와 같이 상쾌한 음악을 들려 주겠다는(Supply) 다짐을 담고 있다고도 합니다. 언뜻 간단해 보이지만 참 많은 뜻을 갖고 있네요. ^^.

두 번째 차례는 'Eurysthmics(유리스믹스)'가 부른 동명의 곡이 되겠습니다. 음, 그런데 아주 오래 전부터 이 그룹의 이름인 'Eurysthmics'가 무슨 뜻인지 궁금했었는데 이 기회를 빌어 영어 사전을 찾아봤더니 이 단어와 거의 비슷하게 보이는 'Eurhythmics'라는 단어가 있더군요. 그리고 그 뜻은 'the art of performing various bodily movements in rhythm, usually to musical accompaniment(리듬에 맞춰 다양한 신체적 움직임을 하는 춤과 같은 예술)'이고요. 그들의 이름은 이 단어의 4번째 철자인 'h'를 생략해 버리면서 새롭게 만들어낸 아주 멋진 단어였던 것입니다! 또한 이 노래의 전체 가사는 굉장히 반어적이면서도 냉소적이기 이를 데 없는데요, 앞서 소개한 가사에 이어 '내가 이 지구의 오대양 육대주를 다 돌아다녀 봤더니 인간들은 탐욕적이기 이를 데 없고, 남을 이용하거나 혹은 남에게 이용당하고 싶어하며, 남을 학대하거나 남에게 학대 당하기를 원하더구만!'이라는 알쏭달쏭한 가사가 계속 반복되지요. 이 곡을 직접 불렀을 뿐만 아니라 공동 작사자이기도 한 'Annie Lennox(애니 레녹스)'는 이 노래의 가사를 통해 인간의 꿈과 욕망을 표현했다고 밝히기도 했습니다.

마지막 세 번째 노래는 한류 스타 '장나라'가 부른 동명의 곡이 되겠습니다. 다른 노래들의 제목이 'Sweet dreams'인 것에 비해 이 곡의 제목은 'Sweet dream'이고요, 엄밀히 말해서 이 제목은 영문법적으로 잘못됐습니다. 그 이유는 여러분들도 잘 아시다시피 영어에서 가산명사(可算名詞)는 복수형(複數形)으로 사용하거나 단수(單數)일 경우에는 정관사(the) 혹은 부정관사(a, an)를 반드시 앞에 붙여야만 하기 때문입니다. 노래 제목이기에 이 정도 문법적 오류는 그냥 그러려니 하고 넘어갈 수도 있겠지만 제가 작사가라면 앞의 두 노래들처럼 이 곡의 제목을 'Sweet dreams'라고 붙일 것 같습니다. 그리고 그 다음으로 소개한 'When we can get together right remember night'는 그 뜻이 참으로 모호한데요, 'when we can get together'는 '우리가 만날 수 있을 때'로 번역이 가능할 듯하지만 이보다는 '우리가 만날 때면 언제나'를 의미하는 'when we get together'와 같이 쓰는 것이 보다 더 영어적인 표현에 가까울 것 같고요, 'right remember night'은 솔직히 말해 무슨 뜻인지 감이 잘 안 옵니다. 앞서 언급한 것처럼 'Night' 역시 가산명사이기에 그 앞에 정관사나 부정관사가 와야 할 것 같은데 그냥 달랑 'Night'라고만 써

놨으니 말이죠. 하지만 앞 문장에 붙여서 억지로 억지로 해석해 보자면 '우리가 만날 때면 언제나 우리의 첫 밤을 기억하곤 해' 정도가 되지 않을까 합니다. 다른 단어들보다도 'Right'을 무슨 뜻 혹은 기능으로 사용했는지 통 알 수가 없네요.

위에서 'Sweet dream(s)'라는 제목을 가진 노래 세 곡을 소개했는데요, 이 말은 노래 제목뿐 아니라 우리나라에서는 아파트 이름으로도 자주 사용되고 뒤에 아파트가 붙는 경우도 있지만 그냥 그 자체로도 아파트 대용어로 사용되지요. 물론 우리말에서는 영어만큼 명사의 단/복수형을 그리 엄격하게 따지지 않기에 대부분이 'Sweet dream'이라는 이름을 사용하지요. 음, 그렇다면 '스위트 드림'이라는 아파트가 한국에는 왜 그리 많은 걸까요? 순전히 저의 뇌피셜이긴 합니다만, 그 이유는 아마도 현실 속의 한국 아파트들이 '달콤한 꿈'과는 거리가 멀어도 한참 멀기 때문인 것 같습니다. 층간 및 반려견 소음, 좁디좁은 평수, 언제나 복작대는 엘리베이터와 모자라도 한참 모자란 주차 공간, 전세 사기 등등, 한국 아파트 (혹은 빌라)의 현실이 그리 녹록하지 않기에 잘 때나마 달콤한 꿈이라도 꾸시라고 이런 이름을 갖다 붙였다는 것이죠. 네? 너무 냉소적인 거 아니냐고요? 음, 생각해 보니 그것도 그렇군요. 하지만 우리네 아파트의 현실이 달콤한 꿈 속마냥 포근하지만은 않다는 것에 그 누구라도 동의하지 않을 수 없을 겁니다. 영어식 표현으로 하자면 한국의 아파트는 'Sweet dream'은커녕 'Harsh reality(차가운 현실)'에 훨씬 가깝다는 것이죠. 여기서 좀 더 했다가는 분위기가 너무 음울해 질 것 같아 여기까지만 하기로 하고, 이번엔 'Sweet dream'과 발음이 같은 'Suite dream'으로 넘어가 보도록 하겠습니다.

먼저 'Suite'는 보통 원룸 형식인 대부분의 호텔방과 달리 거실, 침실, 주방 등 여러 개의 공간이 함께 있는 형태의 객실을 가리키지요. 언뜻 궁전과 같이 멋진 곳이라고 생각하기 쉽지만...그건 어디까지나 가족 단위로 여럿이 머무를 때의 얘기고요, 혼자 묵기엔 너무 넓어 소지품을 어디에 뒀는지 한참을 헤매는 등 오히려 불편하기까지 합니다. 또한 기나긴 밤 시간 동안의 적막함과 외로움이란...제가 1998년 봄에 스페인 마드리드로 홀로 출장을 갔을 때 거래처에서 시내 한복판에 있는 호텔의 스위트 룸을 예약해 줬었는데...그 때의 쓰라린(?) 경험에 학을 뗀 저는 그 다음부터 거래처에서 일반 룸 가격으로 스위트 룸을 예약해 준다고 하면 강하게 손사래를 치곤 했습니다. 그런데 이 스위트 룸이 '홀로 여행객'에게 환영 받지 못하는 이유가 아마도 이 단어(Suite)의 어원 때문인지도 모르겠네요. 왜냐하면 이 단어 안에는 본래 '한 무리의 추종자들' 혹은 '(모임의) 참석자들'과 같이 '수많은 군중'이란 뜻이 내포되어 있기 때문이죠. 그러다 이 단어는 점차 음악을 연주하는 '악기들의 구성 (혹은 집합체)'이란 뜻을 갖게 되었다가 '서로 서로 연결된 방(들)'이라는 의미로도 확장되게 됩니다. 여담입니다만, 서양의 호텔, 특히 북미쪽 호텔에는 'Connecting rooms'이라는 객실이 있는데요, 이 곳에 묵어 보셨던 분들께서는 잘 아시겠지만 이는 두 개의 독립된 방이 중간의 작은 문으로 연결된 객실을 의미하고요, 가족들이 묵으면 그 문을 열어 하나의 큰 객실로 개조하기도 하지요. 다시 본론으로 돌아가서, 이 'Suite'의 원래 뜻이 거실, 침실, 주방 등 여러 개의 방이 있는 고급 객실이기에 우리나라에서는 간혹 프리미엄을 표방하는 아파트의 이름으로 사용되기도 합니다. 반면 외국에서는 이 단어의 본래 뜻에 근거해 'Suite Dream'이라는 말을 대부분 (호텔에 있는) 스위트 룸의 명칭이나 휴양지 호텔의 이름으로 사용하는 것으로 보입니다.

'Sweet dream'이던 혹은 'Suite dream'이건 간에 이들 명칭은 모두 달콤하면서도 고급진 컨셉을 표방하고 있는 것으로 보이고요, 우리가 주거하고 있는 아파트 혹은 하루 밤 묵어갈 호텔이 우리의 꿈과 같이 포근하거나 달콤하지는 않더라도 그 정도 거처라도 확보해서 하루 밤을 보낼 수 있다는 것만으로도 큰 위안으로 삼고 밤에는 꼭 '달콤한 꿈' 꾸시기를 바랍니다. 달콤한 꿈이야 말로 우리가 이 거친 세상을 견뎌나갈 수 있는 버팀목이 될 테니까요. 다음 장에서는 꿈에서 벗어나 'Sky'와 'Land' 등, 우리 주변의 자연 속으로 한번 들어가 보도록 하지요. ^^.

제10장. Sky vs. Land, 'Sky 아파트'는 고층, 'Land' 아파트는 저층?

"조금만 더 하라는 얘기야, 1등급, 저기 꼭대기에 올라 갈 수 있잖아…"

"내가 합격시켜 줄 테니깐 얌전히, 가만히, 조용히 있어. 죽은 듯이…"

"지구는 둥근데 왜 세상이 피라미드냐고!"

시청자들의 심장을 일순간에 쫄깃하게 만들어 버리는 거침없는 명대사로 한 때 대한민국을 '들었다 놨다' 했던 드라마 'SKY OO', 이 제목은 '하늘같은 궁전'이라는 뜻이면서 '명문 학벌을 가진 사람들만 사는 궁전'이라는 의미도 있고, '최고로 손꼽히는 대학에 들어가야만 하늘과 같은 궁전에서 떵떵거리며 살 수 있다'는 뜻도 가지고 있다고 합니다. 그 의미가 무엇이건 간에 이 드라마의 제목은 무려 100년이 넘도록 한국의 정치와 경제를 좌지우지해온 3개 대학에 자신의 자식을 입학시키고자 하는 우리나라 학부모들의 강한 열망을 담은 것으로 보입니다 (물론 먼 옛날 군부 독재 시대에는 모 사관학교가 엄청나게 많은 인재를 배출하기도 했지만 이제는 시대가 달라져도 너무 달라졌기에...). 게다가 자기네들끼리야 "S와 KY는 급이 다른 대학" 또는 "대학 서열상 SKY가 아니라 SYK"라고 우기기도 하지만 그건 소위 말하는 'SKY OO'에 살 만한 자격을 갖춘 그들만의 다툼일 뿐 그러한 'Inner circle(이너 서클)'에 끼지 못한 사람들에게는 거기가 거기인 듯 죄다 엇비슷해 보일 뿐이죠. 야자나무 밑에 서서 주렁주렁 매달린 야자 열매를 올려다 보면 비록 열매들의 탐스러움에 약간의 차이는 있을지언정 모두 다 먹음직스럽게 보이는 것처럼 말입니다. 이른바 'SKY 대학'이라 불리는 이들 대학을 아파트로 치자면 아마 죄다 서울 강남의 최고 노른자위에 위치한 아파트인데 평수가 50평 대냐, 40평 대냐, 아니면 30평 대냐, 그 정도 차이일 것 같기도 합니다. 왜냐하면 제 아무리 아주 적은 평수라 할지라도 연봉이 1억인 사람이 최소한 20년 내내 단 한 푼도 쓰지 않고 모아야만 살 수 있을 만큼의 상상을 초월할 만한 가치를 지니고 있다고 여겨지기도 하니 말이죠. (비록 연봉이 1억이라도 세금 등 이것저것 제하고 나면 실수령액은 이에 훨씬 못 미치기에 최소 25년은 한 푼도 안 쓰고 모아야 되는 수준이라고 하는 게 더 맞을 지도...). 어쩌면 이러한 이유 때문에 우리나라에는 'Sky'라는 이름이 들어간 아파트가 저리 많고 아파트 명칭을 그냥 'OO Sky'라고 써서 'Sky' 자체가 공동 주택 자체를 의미하는 경우가 많은지도 모르겠습니다. 심지어 어떤 아파트에는 'Sky'뿐만이 아닌 '정상'을 뜻하는 'Acro'까지 붙여서 '하늘의 정상'이라는 이름의 아파트도 있지요. 하늘의 끝 혹은 하늘에서 가장 높은 곳이 어디일지는 신이 아닌 이상 그 누구도 모를 텐데 말이죠.

그런데 말입니다, 이 'Sky'라는 영어 단어와 관련해서 재미있는 사실이 하나 있습니다. 그것은 바로 이 단어가 고대 게르만어에서 '구름'을 의미했던 'Skeujam'에서 유래했다는 것이죠. 고대 영어에서 본래 '하늘'을 의미했던 단어는 현재 우리가 자주 사용하는 'Heaven'의 조상 단어인 'Heofon'이었는데요, 게르만어에서 굴러온 돌(?)이나 마찬가지인 'Sky'가 어느 순간 우위를 점하며 영어에서 '하늘'을 뜻하는 대표 단어가 되었다고 하네요. 음, 이 대목에서 우리는 아주 오랜 옛날부터 유럽의 하늘이 많은 구름으로 덮여 있었다는 것을 알 수 있지요. 유럽에 가보신 분들은 잘 아시겠지만 저 하늘 높이 떠있는 우리나라의 구름과는 달리 유럽의 구름은 고도가 아주 낮으면서도 크기도 엄청나게 큰 뭉게구름이 굉장히 많습니다. 아무튼 간에 'Sky'가 본래는 구름(Cloud)이라는 뜻이었다니 현재 한국의 'Sky' 아파트에 사시는 분들은 어원으로 따지면 모두 '구름' 아파트에 사시는 거나 마찬가지네요. ^^.

한편 한국인들은 구름에 맞닿을 정도로 하늘 높이 치솟은 'Sky' 아파트 외에도 주변에 산을 낀 아파트도 굉장히 좋아하는데요, 이는 예전에는 물론 요즘에도 산을 등지고 물을 바라보는 '배산임수(背山臨水)'가 풍수지리학상으로 매우 중요시 되기 때문입니다. 그래서 옛날에 지어진 우리나라의 전통 건축물들은 대부분 '배산임수' 이론에 따라 그 위치가 결정되었고요, 아직까지 이러한 전통이 살아남아 뒷배경에 산을 낀 아파트에 대한 선호도가 매우 높다고 할 수 있겠습니다. 꼭 풍수지리설 때문이 아니더라도 아파트 뒤에 산이 있으면 겨울에 매서운 바람을 막아 줄 것이고 (아파트) 앞에 실개천이 흐른다면 생활 용수로 쓸 수 있는 것은 물론 집에서 내다볼 거리가 하나 더 생기는 것이니 실생활 측면에서도 나쁠 건 전혀 없지요. 하지만 이처럼 산을 옆에 낀 아파트라는 것을 강조하기 위해 우악스럽게(?) 아파트 이름을 '마운틴 아파트'라고 짓기는 또 좀 그렇기에 산의 밑바탕을 이루는 '육지', '지대'라는 뜻을 갖는 'Land'를 아파트 이름에 많이 사용하는 것으로 보입니다. 또한 이 'Land'에는 '나라' 혹은 (특정 목적을 지닌) 지역'이라는 뜻도 있기에 대부분의 아파트가 대규모 단지 안에 위치한 한국의 아파트 이름으로는 적격이라고 하겠습니다. 이에 더해 'Land'와 비슷한 뜻으로 그리스어에서 유래한 'Geo' 및 라틴어에서 유래한 'Terra'라는 이름을 가진 아파트도 간혹 눈에 뜨이고요, 이들 모두 한국인들이 선호하는 '산'의 바탕을 이루는 '땅' 혹은 '지면'으로 해석할 수 있음은 물론입니다. 흠, 그렇다면 이들 아파트들은 'Sky'라는 이름을 가진 아파트들과는 달리 지표면에서 그리 멀지 않은 저층이어야 할 텐데 꼭 그렇지만은 않은 것 같고 그 이름과는 전혀 상관없이 고층 아파트도 많은 것 같습니다. 'Land'나 'Geo' 혹은 'Terra'를 이름에 쓴 아파트들의 또 다른 공통점이라면 이들 모두 자연 친화적인 컨셉과 구조를 매우 중요시하고 있다는 것을 들 수 있겠는데요, 하지만 실제로 그런지는 직접 살아봐야만 알 수 있겠죠. ^^.

자, 그럼 여기서 다시 'SKY OO'로 돌아가 보도록 합시다. 이 'SKY OO'과 마찬가지로 하늘 높이 솟은 인공 구조물 중에 절대 빼놓을 수 없는 것이 바로 '바벨탑'이라고 하겠습니다. 기독교 성경에 등장하는 '바벨탑'과 관련된 이야기를 여기서 간략히 소개해 보면, 인간들이 높고 거대한 탑을 쌓아 하늘에 닿으려 하자 이에 격노한 조물주께서 본래 하나였던 인간의 언어를 여러 개로 나누어 버렸고, 그러자 서로 의사소통이 불가능해진 인간들이 탑 건설을 멈추고 지구 곳곳으로 흩어져 버렸다는 것이 되겠습니다. 비록 성경에서는 "하늘에 이르는 탑을 쌓아 우리의 이름을 만방에 떨치자!"라며 무고한 사람들을 선동한(?) 인물이 누구인지 세세하게 밝히고 있지 않지만 몇몇 역사학자들은 그가 다름아닌 신바빌로니아 제국의 '네부카드네자르 2세 (성경에는 '느부갓네살'로 기록됨)'일 거라 주장하지요. 학자들에 따르면 젊은 시절부터 정복자로 이름을 떨친 그가 기원전 587년 유대교 성지인 예루살렘을 침략해 성전을 파괴하고 유대인 수천 명을 바빌론으로 끌고 갔는데(이를 '바빌론 유수'라 부릅니다), 그곳에서 그가 벌인 대규모 건축사업 중 하나인 거대한 탑을 보게 된 포로들의 목격담이 훗날 성서 편찬에 영향을 끼쳐 (유대교) 성전을 파괴하고 약탈과 납치를 일삼은 그를 신에게 도전하는 오만한 인간으로 기술했다는 것입니다.

현재보다 더 높은 곳에 오르고자 하는 인간의 욕망은 본성의 자연스러운 발로이자 인류 역사를 꾸준히 발전시켜온 원동력이라 할 수도 있겠지만 옛말에도 '과유불급(過猶不及, 지나침은 모자람만 못하다)'이라고, 자신의 주제를 모르고 계속해서 높게만 탑을 쌓았다면 설사 그들의 언어가 단 한 가지였다고 해도 언젠가 탑은 무너지고 그네들은 뿔뿔이 흩어졌을 거라는 생각이 듭니다. 실제 역사에 기록된 신바빌로니아제국 역시 '건설 덕후' 네부카드네자르 2세가 세상을 떠난 직후부터 쇠퇴하기 시작해 채 30년도 못 가 페르시아에게 멸망하고 말았다네요. 어쩌면 이 'SKY OO' 역시 저 높은 하늘 위에 높다랗게만 솟구친 언제 무너져 내릴 지 모를 허약하기 짝이 없는 인간의 허영

덩어리일 지도 모를 일이죠.

제가 사는 동네에 위치한 하늘 높이 솟은 거의 70층에 이르는 주상복합 아파트가 오늘 정말로 높아 보이기도 합니다만, 미래의 바벨탑, 아니 아파트는 어디까지 계속해서 올라 갈지 정말로 궁금하기도 합니다. 하지만 앞서 소개한 드라마에 등장한 "남들이 알아주는 게 뭐가 중요해? 내가 행복하면 그만이지!"라는 대사처럼 'SKY OO'에 살지 못한다고 해서, 혹은 SKY 대학에 진학하지 못했다고 해서 너무 실망하지 말고 앞으로 일어날 일에 더욱 더 집중해서 진정한 행복에 이르는 길을 찾는 것이 보다 더 현명한 것이 아닐까요? 제아무리 하늘에 닿는 엄청난 높이의 바벨탑도 무너졌는데 그에 못 미쳐도 훨씬 못 미친 'SKY OO' 역시 언제 무너질 지 모를 일이니 말이지요. 자, 그럼 이번 장은 이렇게 마무리하고, 다음 장에서는 자연과 관련된 아파트 대용어 제2탄(!)으로 'Tree vs. Stone, 그리고 Forest'에 관련해서 알아보도록 하겠습니다.

제11장. 'Tree vs. Stone, 그리고 Forest', 산세권과 숲세권, 그리고 목세권과 돌세권

앞 장에서도 간략히 언급했습니다만, 우리나라 사람들은 풍수지리설 및 자연과의 친화감 증진 등의 여러 가지 이유로 산을 낀 아파트를 굉장히 좋아합니다. 그래서 "산세권('산'과 '세권'이 합성된 부동산 용어, 산이 인접해 있어 자연 친화적이면서도 쾌적한 환경을 갖춘 주거지역을 일컫는 말)"이라는 신조어가 등장할 정도죠. 하지만 아무리 우리나라 국토의 70%가 산이라고 해도 전국의 모든 아파트를 산 바로 옆에 지을 수는 없는 노릇이기에 '산세권'에 대한 대안으로 언제부터인가 "숲세권(녹지공간을 뜻하는 '숲'과 역세권의 '세권'이라는 단어의 합성어)"이라는 용어가 등장하기 시작했지요. 이는 곧 온전한 자연의 산물인 산이 주변에 없더라도 거대한 인공 숲 근처에 아파트를 짓는다거나, 혹은 아파트 단지 안에 인공적인 터치가 가미된 공원이나 인공 호수 등을 조성해 '산세권'에 버금가는 혜택을 입주민들에게 제공하는 것이 되겠습니다. 그래서 서울의 대표적인 (인공) 숲인 '서울의 숲' 근처에 위치한 아파트 이름에는 어김없이 '숲'이라는 뜻을 가진 영어 단어인 'Forest'가 포함되어 있곤 하지요. 이 단어가 '숲세권'에 위치한 아파트 이름으로 얼마나 자주 사용되는지 심지어 'OO Forest'라고만 해도 '숲세권'에 있는 아파트를 의미할 정도가 되어 버렸을 정도이고요. 또한 'Forest'라고 다 쓰지 않고 그냥 줄여서 '포레(Fore)'라는 국적 불명(?)의 단어를 이름으로 갖다 붙인 아파트도 굉장히 많습니다. 흠, 그런데 바로 이 순간 일본어와 영어를 교묘하게 섞어 놓은 '가라오케'라는 단어가 필자의 뇌리에 떠오르는 건 무슨 이유 때문일까요? ^^. 헌데 이 'Forest'의 어원을 찾아보니 본디 이 단어는 온통 산림으로 뒤덮인 초원지대 중에서도 특히 왕의 사냥터로 지정된 숲을 일컫는 말이었다고 합니다. 그렇다면 오늘날 'Forest'라 이름 붙여진 아파트에 사시는 분들은 녹림으로 우거진 평온한 곳에 보금자리를 마련하신 것이 아니라 사냥의 시작을 알리는 우렁찬 나팔 소리와 단지 살아 남기 위해 목숨을 걸고 도망쳐야만 했던 야생 동물들로 뒤덮인 사냥터에 사시는 거네요...

그런가 하면 한국에서는 '숲'의 주요 구성 요소인 'Tree'와 'Stone'을 아파트 대용어로 굉장히 많이 사용하고요, 이는 산과 같은 자연의 산물을 좋아하는 한국인들의 선호도를 십분 반영하는 것은 물론 'Tree'와 'Stone'이 예로부터 동양에서 해(日), 산, 물, 돌, 구름, 거북, 학, 사슴 등과 함께 십장생(十長生, 열 가지 오래 사는 것들)으로 꼽혔기에 자신이 사는 아파트가 십장생처럼 오랫동안 튼튼하게 버텨주기를 바라는 한국인들의 깊은 염원 역시 담고 있다고 하겠습니다 (보다 더 상세하게는 '나무' 중에서 '소나무'가 '십장생'에 포함됨). 어떤 면에서 이런 이름을 가진 아파트들은 '숲세권'에서 더 나아가 '목(木)세권' 혹은 '돌세권'에 위치한다고도 할 수 있겠지요. ^^. 여담입니다만, 이 'Stone'은 사모펀드를 운영하는 금융 회사들의 이름에도 자주 사용되는데요, 그 이유는 이들 업체가 판매하는 금융 상품이 마치 돌처럼 묵직하고 안전하다는 것을 고객들에게 최대한 어필하기 위해서라고 합니다. 한 마디로 당신네 돈을 우리가 돌처럼 묵묵히 그리고 아주 아주 안전하게 보관 및 운용해 줄 테니 아무리 큰 돈이라도 전혀 걱정하지 말고 팍팍~ 맡기라는 것이지요. ^^.

자, 그럼 여기서 다시 숲세권으로 돌아가 보도록 합시다. (앞서 언급한 것처럼) 현대를 사는 한국인들은 아파트 주변에 산이 없으면 이와 조금이라도 비슷한 숲을 조성해서 자연과 하나가 되는 기분을 만끽하려고 하는데요, 예전 영국에서는 인공 숲 대신 농촌의 풍경을 그린 그림을 집에 걸어 놓고는 자연과 함께 하는 기분을 느껴보려고 했답니다. 즉, 영국의 산업혁명 시대에 일자리를 얻기 위해 농촌에서 도시로 이주한 노동자들은 좁디 좁은 자신들의 거처에 자연을 그린 풍경화를 걸어 놓고는 눈물을 머금고 떠나온 고향의 정경을 마음 속에 떠올리며 쓰린 가슴을 달래곤 했다는 것이죠. 이러한 이유로 18세기 후반부터 19세기 전반까지 영국에서는 존 컨스터블(John Constable)과 같은 자연주의 풍경화가들이 큰 인기를 얻기도 했다고 합니다. 그의 대표작인 '건초마차(the hay wain)'라는 작품을 보시면, 건초더미를 실은 수레와 말이 냇물을 건너가고 있는 와중에 수레 속의 한 남성은 낚싯대를 들고 있고 다른 남성은 건초더미를 정리하고 있으며, 물을 마시기 위해 잠시 멈춘 말 옆에서 한 여성은 빨래를 하고 있는 등 일상적인 시골 마을 사람들의 하루를 보여 주고 있습니다. 이 그림을 오래 보고 있노라면 시골의 풀 내음과 정겨운 시골 향취가 우리를 사로잡는 듯 하지요. 21세기 대한민국을 사는 우리 역시 공동주택 곁에 있는 인공숲이나 정원에서 자연을 만끽하는 것에 더해 십장생과 같은 자연 속의 존재들을 그린 그림을 집에 걸어 놓고 자연과 하나되는 기분을 즐기면 아주 좋을 것 같습니다. 그럼 이번 장은 여기서 마치고, 다음 장에서는 자연과 관련된 아파트 이름 제3탄(!)으로 'Park vs. Garden'에 관련해서 알아보도록 하겠습니다.

제12장. ‘Garden & Park’, ‘Garden’은 한국에서 ‘갈비집’도 되고 ‘아파트’도 된다? ‘Park’는 ‘야구장’도 되고 ‘아파트’도 된다?

‘삼O 가든’. 설령 이 곳에 단 한 번도 가보신 적이 없는 분이라고 해도 이 상호명을 최소한 한 두 번씩은 들어 보셨을 겁니다. 설마 이곳이 정말로 그 이름(Garden)처럼 옛스럽고도 멋들어진 ‘정원’이라고 생각하시는 분은 안 계시겠지요. ^^. 여러분들께서도 잘 아시는 것처럼 이 ‘삼O 가든’은 아주 아주 유명한 소갈비집이고요, 현재(2024년)도 대한민국의 대표적인 프리미엄 음식점 중 하나로 손꼽힙니다만 2000년대 초반까지만 해도 이곳은 명실상부한 고급 갈비집의 대명사로 여겨지기도 했답니다. 음, 그런데 바로 이 대목에서 몇몇 독자분은 굉장히 의아하게 생각하실 수도 있을 것 같아요. 갈비집이면 갈비집답게(!) 이름을 단도직입적으로 '~ 갈비(집)'이라고 할 것이지 굳이 왜 애꿎은 '가든'을 끌고 들어왔는지 말입니다. 허나 이 레스토랑에 최소한 한번이라도 가보신 분이라면 그 이유를 아주 잘 알고 계실지도 모르겠습니다. 식당 입구에서 안쪽으로 쭉~ 들어가 보면 울창한 나무와 커다란 인공 폭포 및 물레방아가 곧바로 눈에 들어오는 것은 물론 연못에는 비단잉어들이 우글우글(?)하기에 이곳은 음식점이라기보다 오히려 정성스럽게 꾸며 놓은 정원 같이 보이기 때문이죠. '삼O 가든'을 설립하신 창업자님의 인터뷰에 따르면, 1976년 서울 강북에 이 음식점을 처음 설립했을 때는 상호명을 '삼O정'이라고 했다가 얼마 뒤 '삼O 회관'으로 바꾸었고, 그 후 1980년대 초에 강남으로 이전하면서 현재의 이름으로 다시 변경했다고 합니다. 그 분께서 덧붙이시길 당시 개발이 한창 진행 중이던 서울 강남은 온통 허허벌판에 회색 빛 아파트만 듬성듬성 서있어서 굉장히 삭막했다고 하고요, 그래서 식당 안에라도 전원의 냄새가 풀풀 풍기는 멋진 정원을 만들어야겠다는 생각에 갈비집 내부에 나무도 심고 폭포와 연못, 그리고 물레방아를 만들었다고 합니다. 그보다 앞선 1970대에도 서울 강북에 이와 유사한 정원식 갈비집이 있었다는 주장이 있기에 이 음식점이 멋진 정원을 갖춘 식당(갈비집)의 원조였는지는 불분명하지만 적어도 '가든'이란 이름을 단 '정원식 갈비집'의 원조인건 분명 한 것 같습니다.

위와 같이 우리나라에서 '가든'은 갈비집과 동의어로 쓰일 뿐 아니라 아파트 대용어로도 자주 사용되는데요, 1층에 위치한 공동주택이 아닌 이상 집 안에 정원이 있을리 없지만 (아파트) 단지 내부의 공용 공간에 근사하면서도 고급진 정원을 꾸며 놓고 이를 최대한 어필하기 위해서 이런 이름을 지은 것 같습니다. (앞 장에도 소개한 것처럼) 한국인들은 자연과의 친화감 증진 등 여러 가지 이유로 산을 낀 아파트나 아름다운 정원을 구비한 아파트를 굉장히 좋아하니 말이죠. 음, 그런데 이름에 '가든'이 포함된 아파트에 사는 한 지인에 따르면, 집이 'OO 가든'이라고 하면 그 곳이 갈비집이냐고 되물어 보는 사람이 꼭 한두 명씩 있다고 하네요. 이는 필시 가든식 갈비집의 원조인 '삼O 가든'의 높디 높은 명성의 영향 때문으로 보입니다.

한편 'Garden'이라는 단어의 어원은 프랑스어인 'Jardin'으로 알려져 있고요, 이 단어에는 '과수원', '(궁전 안의) 뜰'이란 뜻 외에도 'Kitchen garden'이란 의미도 있다고 하네요. 언뜻 이 말의 뜻이 '부엌 안에 있는 정원 (혹은 정원에 있는 부엌?)'인 것 같지만 이는 정원 중에서도 특별히 부엌에서 쓸 채소, 즉 '요리에 사용되는 채소를 재배하는 정원 (Garden for kitchen)'을 가리키는 말이라고 합니다. 우리나라로 치면 '마당에 있는 (채소를 키우는) 텃밭' 정도 되겠네요. 현재는 한국에서도 정원에는 주로 관상용 나무와 꽃을 심지만 먹거리가 심하게 부족했던 옛날에는 우리나라는 물론 유럽에서도 식용 채소를 많이 심었다고 합니다. 이렇듯 본래 사람이 먹기 위한 채소를 심고 가꾸던 공간이었던 'Garden'이 지금 한국에서는 사람들이 먹고 마시는 음식점 이름으로 사용된다니 재미있네요.

위의 'Garden'과 마찬가지로 'Park' 역시 우리나라에서 아파트 이름으로 많이 사용되는데요, 이 또한 '공원'과 같이 울창한 숲과 안락한 쉼터가 있는 공간을 선호하는 한국인들의 기호를 십분 반영한다고 하겠습니다 (어쩌면 이는 한국인만이 아닌 전인류, 아니 땅 위에 사는 모든 생명체들의 공통점일지도 모르지요. ^^). 그런데 어원 사전에 따르면 ('Garden'과 동일하게) 프랑스에서 도버 해협을 건너 영국으로 건너온 'Park'의 본래 뜻은 'tract of land enclosed as a preserve for beasts of the chase'로 중세 때는 '(왕이나 귀족들의) 사냥감인 동물을 가둬놓는 울타리가 쳐진 장소'를 의미했는데 그 뜻이 점점 진화되어 현재는 '공원'이라는 뜻 외에도 'an area of land that is used for a particular purpose (특정 목적을 위해 사용되는 지역 또는 장소)'라는 의미도 가지고 있다고 합니다. 그래서 '야구를 하기 위해 사용되는 장소', 즉, 야구장을 "Baseball Park (혹은 'Ballpark')"이라고 부르기도 하고, '과학 연구 단지'는 'Science Park'이라 합니다. 물론 장소의 용도에 따라서 'Science Park'은 어린이들을 위한 '과학 (체험) 공원'이 될 수도 있겠지요. 예전에 제가 근무하던 회사의 유럽 공장이 영국 (엄밀히 말하면 잉글랜드) 북부의 'Teesside'라는 곳에 있었는데, 그 공장 지대를 'Wynyard Park'라고 부르더군요. 처음 이 명칭을 들었을 때는 공장 주변에 울창한 숲이 있어서 'Park'라 부르는 줄 알았는데 'Park'의 정확한 뜻을 알고 보니 "Wynyard'라는 지역에 위치한 ('제조'라는 특정 목적을 위한) 장소"라는 뜻에서 'Park'라 부른 것이었습니다. 한편 앞장에 소개한 'Forest' 역시 본래는 '산림으로 뒤덮인 초원' 중에서도 특별히 '왕의 사냥터로 지정된 숲'이란 뜻이었기에 'Park'와 'Forest' 모두 일부 특권 계층의 주요한 오락거리였던 사냥과 밀접한 관계가 있는 것을 알 수 있습니다. 그나저나 'Park'에서 사시는 분들, 위에 소개한 어원에 따르면 '공원'과 같이 '조용하면서도 쾌적한 쉼터'가 아닌 수많은 들짐승들이 으르렁거리는 살벌하기 그지없는(!) 곳에 사시는 거네요. ^^.

자, 그럼 여기서 다시 'Garden'으로 돌아가 보도록 합시다. 'Golden Gate Bridge(금문교)'로 유명한 미국 샌프란시스코에는 언덕이 참 많은데요, 그곳을 오르내리는 'Streetcar'라 불리는 전차도 아주 유명하죠. 또한 그곳에는 아름다운 공원 역시 많고요, 그 중에서도 스페인어로 'Good herb(좋은 식물)'라는 뜻을 가진 'Yerba Buena Gardens'가 가장 유명하다고 합니다. 비록 이곳에 'Cho-En Butterfly Garden', 'Reflection Garden'과 같은 아름다운 정원이 있긴 하지만 공식적으로 이곳은 '정원'이라기보다 오히려 문화/예술/생활공간을 갖춘 '공원'이라 할 수 있습니다. 왜냐면 이곳에는 박물관, 갤러리, 공연장, 아이스링크는 물론 심지어 식당, 상가, 호텔까지 위치해 있으니 말이죠. 음, 그렇다면 바로 이 대목에서 미국에서는 때때로 'Garden'이 'Park'와 동의어로 사용된다는 것을 알 수 있습니다. 또한 'Yerba Buena Gardens'을 'Park'가 아닌 'Garden'

이라 이름 붙인 것은 이 곳에 위치한 기타 문화/예술/생활관련 시설보다 녹지의 푸르름을 간직한 '정원'의 중요성을 더욱 더 강조하기 위한 것일지도 모르겠고요. 이러한 미국과는 대조적으로 (앞서 소개한 것처럼) 한국에서 'Garden'은 식당 중에서도 특히 갈비집을 의미하고요, 이처럼 '정원(Garden)'을 음식점으로 탈바꿈 시킨 것에서도 알 수 있듯이 우리 한민족은 생존에 필수적인 의식주 가운데 먹을거리에 제일 많은 관심을 쏟는 것 같습니다. 왜냐면 우리는 연장자에게는 "식사하셨어요?", 그리고 손 아래 사람에게는 "밥은 먹었냐?"는 말로 인사를 대신하기 때문이죠. 여기에서 한 발 더 나아가 오랜 만에 만난 친구에게 우리는 "요즘 밥은 먹고 다니냐?"라고 하지 않던가요. 이런 언어 습관 (혹은 언어 문화)가 외국, 특히 서양사람들에게 굉장히 신기하다고 하더라고요. 밥을 먹었던 말던 그건 오로지 본인 사정이고 자기 사생활인데 너무 확~ 치고 들어오는 것 같다는 사람도 있고요. 지금껏 저도 아는 사람을 만나면 밥 먹었냐고 물어보는 것이 너무나도 당연하다고 생각했었는데 외국인들의 얘기를 듣고 보니 우리가 조금 특이한 것 같기도 합니다. 어쩌면 일제시대와 한국 전쟁을 거치며 극심한 배고픔을 겪어야만 했던 우리

조상님들의 쓰라린 경험이 이러한 인사 문화를 탄생시켰는지도 모르겠습니다만 말이죠. 결론적으로 우연히 마주친 상대방이 식사를 했는지 안했는지에 대해서까지 관심이 아주 많은 우리 한국인들은 '가든'마저 먹는 것과 관련 있는 음식점으로 바꿔 놓았지요. 또한 자연친화적인 공간에 관심이 많은 우리는 아파트마저 '가든' 혹은 '파크'라 이름 붙였고요. ^^. 자, 그럼 'Garden'과 'Park'에 대해서는 여기까지만 하도록 하고, 다음 장에서는 아파트 대용어로 사용되는 영어 단어 중 뜻이 서로 비슷비슷한 것 같기도 하지만 조금씩 다른 'County', 'City', 'Town', 'Village', 그리고 이들 단어와는 뜻이 다르지만 역시 '아파트'의 대용어로 사용되는 'State'에 대해 알아보도록 하겠습니다. ^^.

제13장. State vs. County, 'State'에는 주지사가 살고 'County'에는 백작이 산다?

앞서 '마을'을 뜻하는 'Village'와 'Town', 그리고 이보다 규모가 좀 더 큰 'City'를 소개했었는데, 이번 장에서는 미국의 행정구역 명칭과 이들 중 한국에서 아파트의 대용어로 사용되는 단어에 대해서 알아보도록 하겠습니다.

제일 먼저 미국 행정구역 가운데 가장 큰 단위는 우리나라의 '도(道)'에 해당되면서 한자로는 '州(주)'로 표기되는 'State'가 되겠습니다. 여러분들도 잘 아시는 바와 같이 미국에는 총 50개의 주가 있지요. 그런데 본래 이 'State'는 1998년도에 개봉된 할리우드 영화의 제목인 "Enemy of the state ('국가의 적', 즉 '대역죄인'이란 뜻입니다)"에서와 같이 '국가' 혹은 '정부'란 뜻이었는데 미국이나 호주 같이 엄청난 땅덩어리를 자랑하는 신대륙에서는 가장 큰 행정구역인 '주'로도 사용됩니다. 그리고 미국의 50개 주 모두 'State'라고 불립니다만 이중 매사추세츠, 켄터키, 펜실베니아, 켄터키 주의 공식 명칭에는 'Commonwealth of Kentucky'와 같이 'State' 대신 'Commonwealth'가 들어가 있지요. 이 'Commonwealth'는 당연히 'Common'과 'Wealth'가 합쳐지면서 탄생한 말인데요, 옛날에는 'Wealth'가 '행복', '건강'을 뜻하는 'Well-being'과 동의어였기에 이 단어는 말 그대로 '공공의 행복'이란 뜻이고 정치 용어로는 '공동의 목적과 이익을 위해 만들어진 정치 공동체 혹은 정부'를 의미합니다. 이처럼 'State'와 'Commonwealth'는 본래 '국가'나 '정부'란 뜻이었지만 지역 혹은 상황에 따라 '주'로도 사용된다는 것을 알 수 있습니다. 'Commonwealth'는 예전 영국의 식민지였던 국가들의 연합체인 '영연방(Commonwealth of Nations)'의 명칭에도 사용되는 등 그 쓰임새가 굉장히 많지만 너무 긴데다가 발음하기도 어려워 아파트 대용어로 사용되는 'State'와는 달리 우리나라에서는 거의 사용되지 않고 있지요. 한편 이 'State'는 위의 뜻 외에도 명사로는 '상태', 동사로는 '(공식적으로) 언급하다' 등 여러 가지 뜻을 가지고 있기도 합니다.

여담입니다만 미국에는 이러한 '주(State)'에 속하지 않고 연방 정부의 직접적인 관할 하에 있는 '특별행정구역'이 몇 개 있는데요, 그 중 하나가 '특별구(Federal district)'가 되겠습니다. 우리 말로는 '특별구'라고 하지만 원뜻은 그 어떤 주에도 속하지 않으면서 연방 정부의 직접적인 통제를 받는 '연방구'가 되겠고요, 이는 미국의 수도인 'Washington D.C(District of Columbia)'를 가리키지요. 한국의 수도인 서울 역시 우리는 '서울특별시'라고 부릅니다만 영어로는 'Special city'가 아닌 'Capital city'가 되겠습니다.

다시 본론으로 돌아가서 미국의 '주' 바로 밑의 행정구역 단위는 우리말로 '군(郡)'으로 번역되는 동시에 몇몇 한국의 공동 주택에서 아파트 대용어로도 사용되는 'County'가 되겠습니다. 비록 우리말로는 '군'으로 해석되곤 하지만 이는 '읍'이나 '면'의 상위개념이면서 '시'와 동급인 한국의 '군'과는 완전히 다른 개념이고요, 쉽게 말해서 'City', 'Town', 'Village' 여러 개를 하나로 묶어 놓은 것이라고 이해하면 될 것 같습니다. 한편 미국 남부에 위치한 루이지애나주에서는 이 'County' 대신 'Parish'라는 용어를 사용하고요, 러시아로부터 사들인 알래스카주에서는 'Borough'라고 부릅니다. 이 두 단어 역시 한국에서 아파트 대용어로 사용될만해 보이지만...'Parish'는 본래 '(교회나 성당의) 교구'라는 의미이기에 종교적인 색채가 너무 짙어서, 그리고 'Borough'는 발음하기 어려운 것은 물론 우리에게는 꽤나 낯선 단어라 거의 사용되지 않는 것 같습니다. 어원상 이 'Borough'는 본래 '(외부의 침략을 막아내기 위해) 요새화된 마을' 혹은 '(성벽으로 둘러싸인) 자치권을 가진 도시' 등을 의미했고요, 현재 영국에서는 '(재판 등 사법 자치권과 같은) 특권을 갖고 있거나 국회의원을 선출할 수 있는 권한을 보유한 지역'을 의미합니다. 예를 들어 우리나라로 치면 서울이라 할 'Greater London'은 'City of London'과 32개의 'London boroughs'로 구성되어 있지요. 세세히 들어가면 물론 다른 점도 있겠지만 영국(특히 잉글랜드)에서 'Borough'는 우리나라의 '구'와 엇비슷하다고 봐도 될 것 같습니다. 비록 우리는 '구'를 영어로 보통 'District'라고 표기하지만 말입니다.

한편 중세 유럽에서 이 'County'는 'Count(백작)가 소유한 땅'을 의미했다고 하고요, 미국에서 지금과 같은 행정구역 명칭으로 사용되기 시작한 것은 18세기부터라고 하네요. 그렇다면 우리나라 아파트 중 'County'에 사시는 분들, 자신이 백작이라고 생각하십니까, 아니면 백작이 소유한 땅에서 일하는 농노라고 여기십니까? 어차피 의미라고는 단 1도 없는(!) 질문이기에 'County'에 살면 백작이라고 생각하면 마음이 편할 것 같습니다. ^^. 이같이 'County'는 한 때 왕 바로 다음가는 고귀한 신분이었던 백작이 소유했던 땅을 의미했음은 물론 현재 미국에서도 굉장히 중요한 행정구역 단위의 하나이건만 공식적인 주소명에서는 빠져있는 등 갖가지 푸대접(?)을 받는 단어이기도 합니다. 실례로 뉴욕주의 'Scriba'라는 타운에 위치한 건물의 주소는 '38 Simpson Drive, Scriba, NY 13126'와 같이 카운티 명은 쏙~ 빼버리고 도로 명, 타운 명, 주 이름, 그리고 우편번호만 쓴다고 하네요, 물론 주소에 'County'

명을 써도 우편물은 목적지에 잘 도착한다고 합니다만…그럴 경우 주소가 너무 길어지는 데다가 (우편물) 분류 과정에서 헛갈릴 수도 있어서 대부분 생략해 버린다고 하네요. 한 때 백작이 다스리던 땅이었지만 이제는 보통의 도시와 마을을 모아놓은 일반적인 행정구역으로 격하되었음은 가련(?)하게도 공식 주소에서도 빠져버린 'County', 그 추락의 끝은 어디일지 자못 궁금합니다. 물론 상황이 다시 반전되면서 그 지위가 격상될 수도 있겠지요. 자, 그럼 이번 장은 여기까지만 하기로 하고, 다음 장에서는 'County'를 소유한 'Count'보다 더 높은 분들인 왕족을 가리키는 영어 단어인 'Royal'과 'Royal'스러운 분들이 사시는 곳인 'Court'에 대해서 알아보도록 하겠습니다. ^^.

제14장. Royal vs. Court, 'Royal'스러운 사람들이 사는 곳이 'Court'?

우리나라에는 이 세상 그 어디에서도 찾아 볼 수 없는 (영어가 포함된) 아파트관련 용어가 하나 있으니, 그것이 바로 '로얄(Royal)층' 되시겠습니다. 한 마디로 '로얄층'이란 마치 왕(Royal)께서 사시는 곳과 같이 편하고 살기 좋아 뭇사람들이 선호하는 층이라 하겠습니다. 어찌 보면 다른 층과는 확실한 차별성을 지닌 '프리미엄(Premium)층'이라고 할 수도 있고요. 일반적으로 저(低)층, 중간층, 탑(Top)층으로 나뉘는 아파트 동(棟)에서 로얄층은 중간 윗층부터 꼭대기 바로 아래층까지를 가리킵니다. (중간 이하의) 낮은 층의 경우 외부 출입을 할 때 편리하다는 장점이 있긴 하지만 절도 등 범죄의 표적이 될 가능성이 상대적으로 높고, (아파트) 밖에서 내부가 들여다 보여 사생활이 침해 받을 수 있음은 물론, 담배 연기/소음/매연/

자동차 헤드라이트 불빛 등이 생활에 불편을 초래할 수도 있어 로얄층으로 인정받기는 어렵다고 합니다. 또한 위치가 낮다 보니 제대로 된 일조권을 보장받지 못할 수도 있고요. 반면 맨 꼭대기 층은 여름에는 덥고 겨울에는 춥다는 속설이 있고, 엘리베이터를 이용한다 해도 외출 혹은 귀가 시에 상대적으로 시간이 오래 걸린다는 것이 단점이기도 합니다. 다른 층들의 사정이 이러하기에 아파트 중간의 위층부터 꼭대기 바로 아래 층까지가 일조권 보장, 저소음, 사생활 보호, 냉난방 고효율 및 입출입시 편리함과 같은 장점이 많아 로얄층으로 분류됩니다. 하지만 집안에 어린 아이가 있거나 정원을 선호하는 가정은 안전하고 드나들기 편리한데다가 화초도 가꿀 수 있는 1층을 로얄층으로 여길 수도 있고요, 이와는 대조적으로 층간 소음에서 상대적으로 자유롭고 전망이 좋은 꼭대기 층을 가장 최애(最愛)층으로 생각하는 사람이 있기도 하지요. 허나 대부분의 사람들은 앞서 지적한 대로 중간 위층부터 꼭대기 바로 아래층까지를 로얄층으로 칩니다.

이러한 '로열층'에 더해 우리나라에는 '로얄동'이라는 용어도 있는데요, 일반적으로 꼽히는 로얄동의 조건으로는, ①큰 도로에서 멀리 떨어져 (자동차) 소음 및 배기 가스의 영향이 적을 것, ②옆 및 앞/뒤 동과의 간격이 넓어 사생활/일조권/조망권이 보장될 것, ③주변에 테니스 코트(Tennis court)가 없어 소음이나 야간 조명 등으로 인한 피해가 없을 것 (물론 테니스를 즐겨 치시는 분들은 테니스 코트가 가까우면 당연히 좋겠지요 ^^), ④지하철역 및 버스 정류장 등 대중교통 수단으로부터 가까울 것 등이 되겠습니다 (병원 및 마트에서 가까울 것, 학군이 좋을 것 등은 기본 중의 기본이라 위의 조건에는 포함시키지 않았습니다 ^^). 한편 '로얄동의 로얄층'을 'RR'이라는 영어 알파벳 두 글자로 표시하기도 하는데요, 이는 당연히 'Royal동의 Royal층'에 포함된 알파벳 'R자' 두 개를 뽑아내 만든 것이죠. 하지만 로얄동의 로열층에 위치한 아파트를 찾기란 굉장히 어려운 일이고, 비록 찾았다 해도 매물로 나올 가능성이 별로 없는데다가 매물로 나온다 해도 매매가가 거의 천문학적인 수준에 이를 것이기에 진입 장벽이 엄청나게 높다 하겠습니다. 따라서 'Royal'이라는 단어의 뜻 그대로 왕이나 여왕에 버금가는 수준이 되어야 'RR'에 살 수 있을 것이고요. 조금 우울하긴 하지만 우리가 받아들일 수 밖에 없는 현실인 것이죠.

그렇다면 이 'Royal층'을 영어로는 뭐라고 할까요? 만일 우리가 (영어) 원어민에게 'Royal floor'라고 한다면 처음에 어리둥절하던 그들은 얼마 후 그 뜻을 대충 알겠다는 듯이 고개를 끄덕끄덕거릴 지도 모르죠. 하지만 앞서 지적한 것처럼 영어에 이런 말은 없고요, 보통 'most popular floor' 혹은 'most-favored (또는 -preferred) floor' 라고 하는 것이 맞을 듯 합니다. 또한 외국에서의 로열층에 대한 인식은 우리와는 조금 다른데요, 일본에서는 꼭대기층 아니면 1층을 최고의 로열층으로 친다고 합니다. 일본 사람 중 천기(天氣)를 중요하게 생각하는 사람은 하늘과 가까운 꼭대기층을 우선시하고, 지기(地氣)를 더 신봉하는 사람은 1층을 제일 먼저 찾는다고 하네요. 그 다음으로 미국에서는 꼭대기층이 최고의 로열층으로 대우받는다고 하며, 그 이유는 다른 층에 비해 조망권과 사생활을 확실히 보장받을 수 있기 때문이라고 합니다. 또한 맨 위층이기에 층간 소음도 상대적으로 적겠죠. 앞서 소개했던 'Penthouse' 역시 '공동 주택이나 호텔의 최고층에 위치한 고급 주거 공간'이라는 의미이기에 꼭대기층에 대한 그들의 애착이 매우 강하다는 것을 알 수 있지요.

그런데 한국 사람들은 '왕'처럼 사는 걸 굉장히 좋아하는지 '로얄층'이나 '로얄동'이란 용어를 만들어 낸 것에 더해 'OO 로얄'과 같이 아예 이 '로얄'이라는 말을 아파트 대용어로 사용하곤 합니다. 게다가 이 'Royal' 뒤에 'Duke(귀족)'나 'Palace(궁전)'를 붙인 'Royal duke (왕과 혈연 관계인 귀족)' 혹은 'Royal palace(왕의 궁전)' 역시 아파트 대신 사용하고요. 옛날 옛적 일국의 최고 권력자였던 왕 (혹은 여왕)은 온갖 세속적인 삶의 즐거움이란 즐거움은 다 누렸을 것이기에 그처럼 되고 싶어하는 것이 인지상정일지도 모르지만, 한국인들의 '왕 사랑 (혹은 왕족 사랑)'은 유독 유별나다고 하겠습니다. 어쩌면 외부세력인 일제에 의해 한반도의 마지막 왕조가 소멸해 버린 것에 대한 반발일지도, 혹은 사라져 버린 왕조에 대한 뭐라 설명하기 어려운 그리움일지도 모르지요...

한편 이 장의 앞에서 '로얄동'의 전제 조건 중 하나가 테니스 코트(Tennis court)에서 멀리 떨어져 있는 것이라고 했는데, 'Tennis court'에 포함된 'Court'라는 단어 역시 우리나라에서는 아파트 대용어로 사용되곤 합니다. 프랑스에서 건너온 이 'Court'의 본래 뜻은 '사방이 벽 혹은 건물로 막힌 마당 혹은 정원(an enclosed yard)'이며, 앞 장에 소개한 'State'와 마찬가지로 광범위한 뜻을 가지고 있는 아주 고약한(?) 단어입니다. 앞서 등장한 '(테니스/배드민턴 등의 스포츠를 하는) 코트' 외에 이 단어가 가진 주요한 뜻으로는 '(왕이 사는) 궁전', '(재판이 진행되는) 법정', '~의 환심을 사려고 하다', '구애하다' 등이 되겠습니다. 그렇다면 한국에서 아파트 대용어로 사용되는 'Court'는 '테니스를 치는 경기장'이라는 뜻에서 따온 것일까요? 아쉽지만 그건 아닌 것 같고요, 이보다는 이 단어의 '마당 (혹은 정원)'이라는 본래의 의미에서 유래한 듯 합니다. 미국 등 영미권에서 마당이나 정원은 보통 집 뒤쪽에 (옆 집과의 경계를 가르는 담 바로 앞에) 위치하기에 'Backyard'라고 부릅니다만 집 앞쪽에 있는 마당 혹은 'ㄷ'자 모양으로 생긴 정원 (보통 이렇게 생긴 정원의 한 가운데에 분수가 있지요 ^^)은 이 'Court'가 포함된 'Courtyard'라고 한다고 하네요.

그리고 이 'Court'가 이름에 포함된 유명 관광지로는 런던 근교에 위치한 'Hampton Court Palace(햄튼 코트 궁전)'를 들 수 있는데요, 이 곳은 16세기 초에 처음 지어졌지만 영국 왕 가운데 최고의 스캔들 메이커이자 스포츠광이었던 헨리8세 (재위 1509~1547년)가 궁전을 추가로 증건함은 물론 호텔, 극장, 테니스장 등도 지어 현재의 형태로 완성했다고 합니다. 그래서 지금도 아주 많은 사람들이 찾는 유명 관광지로 각광받고 있지요. 그렇다면 앞서 소개한 것처럼 이 'Court'에 '궁전'이란 뜻이 있기에 이 곳의 이름을 'Hampton Court Palace'라고 한 것일까요? 그건 아닌 것 같고요, 여기서의 'Court'는 '궁전'이 아닌 그 어원과 같이 '사방이 벽/건물로 둘러 쌓인 정원'이란 뜻으로 보입니다. 왜냐하면 이 곳에는 'Base

Court', 'Clock Court', 'Fountain Court'와 같이 주위의 4면이 모두 궁전으로 둘러 쌓인 정원이 세 개나 있기에 이들 정원에서 궁전의 이름이 기인했다고 보는 것이 맞을 것 같기 때문이죠. 흠, 그렇다면 바로 여기서 궁금증이 하나 스믈스믈 기어 올라옵니다. 그것은 바로 본래 '정원'이었던 'Court'가 어떻게 해서 '궁전'이란 의미를 갖게 되었는가 하는 것이죠. 유감스럽게도 이에 대한 정확한 유래는 찾을 수 없었지만, 이는 아마도 유럽 궁전의 일반적인 구조가 여러 개의 왕궁들이 큰 정원 (=Court)을 뻥 ~ 둘러싸고 있는 형태이기에 'Court'의 뜻이 '왕궁'이라는 의미로 확장된 것은 아닌가 하고 추측해 봅니다. 그렇다면 테니스 경기장이란 뜻의 'Court'는요? 이 역시 'Court'의 어원상의 뜻과 같이 정원마냥 잔디가 깔린 테니스 경기장의 사면이 모두 펜스로 막혀 있기에 이렇게 불리게 된 것 같습니다. 그런데 한 가지 재미있는 건 이 'Hampton Court Palace'에 헨리8세가 지은 테니스 코트가 아직도 남아있는 것은 물론 현재에도 그곳에서 테니스 경기가 벌어지고 있다는 것입니다. 음, 그렇다면 그곳에 있는 테니스 코트는 'Hampton Court (Tennis) Court' 라고 부를 수 있겠군요. ^^.

자, 그럼 여기서 다시 이 장의 문을 열었던 'Royal'로 돌아가 보도록 합시다. 여러분들도 잘 아시는 것처럼 입헌군주국인 영국에는 'Royal'이 포함된 명칭이 굉장히 많은데요, 그 중 몇 개만 예를 들자면, 'Royal Navy', 'Royal Air Force'와 같이 영국 해군과 공군의 공식 명칭에 포함되어 있는 것은 물론 'Royal Parks'와 같이 우리나라라면 '국립공원'이라고 할 것을 '왕립공원'이라고 부르기도 하고, 'Royal Bank of Scotland'와 같은 금융기관의 이름에도 들어가 있지요. 여기에 그치지 않고 'Royal'이 포함된 영어 숙어 역시 꽤나 많은데요, 그 주요한 예로써 'royal pain(지독하게 성가신 사람 혹은 사물)', 'royal treatment(극진하고도 융숭한 대접)', 'battle royal(격렬한 토론 혹은 다툼)' 등을 들 수 있겠습니다. 그리고 'royal touch'라는 표현도 있는데요, 말 그대로는 '왕의 손길'이라는 의미지만 그 안에 숨은 속뜻은 '왕 (혹은 왕의 손길)이 가진 신비한 치유 능력'이 되겠습니다. 중세 유럽인들은 새로 즉위한 여왕이나 왕에게 특별한 치유 능력이 있다고 굳게 믿었다고 하고요, 이 때문에 13세기 영국을 다스렸던 에드워드1세 때에는 1달에 5백 명 이상, 14세기 프랑스 왕 필리프6세 시대에는 하루 1천5백 명 이상의 환자들이 '왕의 손 (=Royal touch)'에 닿기 위해 구름같이 몰려 들었다고 합니다. 그리고 이 관습은 18세기 영국의 앤 여왕 때까지 이어졌다고 하고요. 이 같은 왕의 은혜(!)로 당시에는 불치병이었던 결핵이 치료되는 경우도 있었다고는 하지만...아무리 여왕 (혹은 왕)이라 해도 병을 고치는 특별한 능력이 있었을 리는 없고 이는 아마도 플라시보(Placebo) 효과 혹은 자연 치유였을 가능성이 높겠지요.

한편 전세계 영화사를 통틀어 가장 유명한 스파이인 '007'이 등장하는 영화의 제목에도 이 단어가 등장하는데요, 그 영화는 다름아닌 'Casino Royale(카지노 로얄)'이 되시겠습니다 ('Royale'은 프랑스어로서 영어의 'Royal'과 같은 뜻임). 이 작품의 주인공인 'James Bond(제임스 본드)'는 프랑스의 휴양 도시인 'Royale-les-Eaux'에 위치한 카지노에서 러시아 스파이와 목숨을 건 한 판 승부를 벌이지요. 따라서 'Casino Royale'은 'Royale-les-Eaux에 위치한 카지노'라는 뜻이 되겠습니다. 헌데 'Royale-les-Eaux'는 실제 존재하는 지명이 아닌 이 영화의 원작자가 인위적으로 만들어낸 상상 속의 장소라고 하며, 글자 그대로의 뜻은 '왕의(Royale) 물(les Eaux)'이 되겠습니다. 만일 이 '왕의 물'이 실제 지명이었다면 왕께서 백성들에게 "이곳에서 물이 나올 것 같으니 우물을 한번 파보거라!" 고 분부하셔서 속는 셈치고 한번 파봤더니 정말로 물이 나와서 왕에 대한 감사의 표시로 그렇게 이름을 지었을 수도 있을 것 같네요. 네? 왕이나 여왕이 저명한 지질학자도 아니었을 텐데 설마 그런 일이 있었겠느냐고요? 흠, 병자의 얼굴에 손을 갖다 대는 것만으로도 불치병을 치료하시는 분인데 그까짓 우물 하나 찾아내는 거야 뭐 식은 죽 먹기 아니었을까요? ^^. 그런 엄청난 업적을 남기신 'Royal'스러운 분들이 사셨던 혹은 지금도 사시는 'Court(궁전)'에 저도 한 번 살아보고 싶은 마음이 강하게 드는군요. 자, 그럼 'Royal'과 'Court'에 대해서는 여기까지만 하고, 다음 장에서는 아파트 대용어로 사용되는 단어 중 'Progress'와 'View'에 대해서 알아보도록 하겠습니다.

제15장. Progress & View, 'Progress'를 이루려면 과거/현재/미래를 잘 'View' 해라!

"네, 방금 들으신 곡은 호주의 팝 그룹 'Men at work'이 부른 'Down under'였습니다, 푸~하하하~. 'Men at work', '일하는 사람들'이라, 게으름 피지 않고 열심히 일하는 사람들이라니, 이름 한번 좋군요, 푸~하하하!"

아마 1987년의 어느 봄날이었을 겁니다. 라디오 방송 중 시도 때도 없이 날리는 너털 웃음이 특기였던 모 디제이(DJ, 음악 방송 진행자)는 'Men at work'이라는 호주 그룹이 부른 곡을 소개하면서 여느 때와 마찬가지로 연신 박장대소를 날리더군요. 이 팝송은 당시 제가 굉장히 좋아하던 노래였던 지라 경쾌하게 흐르는 리듬에 깊이 심취해 버린 저는 'Men at work'의 뜻이 '일하는 사람들'이라는 그의 말을 그냥 귓등으로 흘려버렸지요. 그로부터 정확히 10년 후인 1997년 봄, 당시 모 회사의 신입사원이었던 저는 태어나서 처음으로 해외 출장이란 것을 유럽으로 갔는데요, 제가 맡은 임무는 영국 뉴캐슬 인근에 위치한 당사 공장의 생산 현황을 점검하고 핀란드 및 독일 바이어를 만나 향후 공급 물량 및 가격을 결정하는 나름 막중한(!) 것이었습니다. 현지에 도착한 바로 다음날 아침, 바이어들과의 미팅을 위해 호텔에서 공장까지 택시를 타고 가던 저는 바뀐 시차에 적응하지 못하고 꾸벅꾸벅 졸고 있었지요. 그런데 공장에 거의 다 도착했을 무렵 도로 위에 세워진 세모 표지판 하나가 눈에 들어오더군요. 그 표지판에는 부지런히 삽질(?) 하는 인부가 검정색으로 그려져 있었고, 아, 그리고 그 밑에는 'Men at work'이라고 쓰여져 있는 것이 아닙니까! 순간 저는 정신이 번쩍 들면서 무릎을 탁(!) 치고 말았지요. 'Men at work'의 진짜배기 뜻은 10년 전 디제이 아저씨의 방송멘트처럼 '일하는 사람들'이 아닌 '작업 중'이었던 것입니다! 보다 더 정확히는 "도로 건설 혹은 보수를 위해 인부들이 작업 중이니 운전자들께서는 속도를 줄이심과 동시에 특별히 주의해서 운전하시오!'라는 경고가 되겠지요. 아, 그 디제이 아저씨가 라디오 방송을 하던 중 " 'John Lennon(존 레논)'이 1980년 10월에 발표한 노래 'Starting over'는 '하늘을 향해(Over) 출발한다(Starting)'는 뜻이기에 그는 자신의 최후 (1980년 12월에 암살 당함)를 죽기 두 달 전에 이미 예감했던 것입니다!"라는 멘트를 했을 때 '존 레논'의 천재성에 감탄하는 대신 그의 영어 수준을 진작에 알아 차려야만 했습니다. 왜냐하면 여러분들도 잘 아시다시피 'start over'는 '하늘을 향해 출발하다'가 아닌 '처음부터 다시 시작하다'라는 뜻이기 때문이죠. 일평생 팝송 디제이를 하신 분이라 영어를 당연히 잘할 것이라 지레 짐작하고는 어떠한 검증도 없이 맹목적으로 그의 말을 믿어버린 저의 불찰이었습니다. 하지만 첫 번째 해외 출장에서 영어를 정말로 잘 하기 위해서는 팝송 제목이나 영어 표지판 하나도 건성으로 넘겨서는 안됨은 물론 뜻이 100% 이해되지 않으면 반드시 사전을 찾아 제대로 된 의미를 알아야 한다는 것을 가슴 절절히 느꼈으니 그나마 다행이었죠. ^^.

여담입니다만 위에 소개한 'Men at work'라는 그룹은 1980년대 초에 혜성처럼 나타나 'Down under', 'Who can it be now'와 같은 노래를 전세계적으로 히트시켰습니다. 그들의 첫 번째 히트곡인 'Down under'는 '호주'를 뜻하고요 (호주가 영국의 식민지였을 때 본국인 영국의 '저~ 아래 밑에 위치한다'는 뜻에서 유래했다는 주장도 있습니다), 전체 가사와 뮤직 비디오는 다른 나라 사람들이 '호주'에 대해 갖고 있는 편견을 'B급 감성'으로 재미나게 풀어냈지요.

한편 영어에는 'Men at work'와 유사한 뜻을 가진 표현이 하나 있는데요, 그것이 바로 이번 장의 주인공인 'Progress'가 포함된 'Work in progress'가 되겠습니다. 이 역시 한마디로 '작업 중'이란 뜻이고요, 좀 더 자세히는 '(어떤 일을) 실행하는 과정 (in the course of being done or carried out)'이란 의미가 되겠습니다. 영어권에서는 이 표현이 꽤나 자주 쓰이는지 'WIP'라고 줄여 쓰기도 한답니다. 가령 "그 일 다 완료했습니까 (Have you finished the task)?"라고 상사가 물어오면 "It's still work in progress(아직 하고 있습니다)" 혹은 "It's still WIP"라고 답하면 된다는 것이죠. 그리고 공항이나 지하철역 등에 있는 화장실이 청소 중일 경우 (화장실) 앞에 'Cleaning (work) in progress'라는 표지판을 세워 놓기도 하고요, 도로나 인도에서 공사가 진행 중일 때는 'Work in progress, Go slow (공사 중이니 서행하시오)' 혹은 'Construction (work) in progress (공사 중)'란 표지판을 붙여 놓는다고 합니다. 마지막으로 이 표현의 명사형인 'Work-in-progress'는 '재공품(在工品, 아직 생산이 완료되지 않은 제품)'이란 뜻의 회계 용어로도 사용됩니다. 'Work in progress'가 '작업 중'이라는 의미이기에 이의 명사형은 당연히 '아직 작업 혹은 생산 중인 미완성 제품'이 되는 것이죠.

그리고 이 표현에 포함된 "Progress'는 우리나라에서 아파트 대용어로도 사용되는데요, 앞서 소개한 데로 이 단어가 '진행', '진전', '진보' 등 다소 강한 뜻을 갖고 있기에 언뜻 공동 주택과는 잘 어울리지 않는 듯합니다만 당당히 모 건설업체의 아파트 브랜드에 이름을 올리고 있습니다. 만일 영어가 모국어인 외국인에게 "저는 'OO 프로그레스'라는 아파트에 삽니다"라고 얘기한다면 그는 아마도 제가 온갖 첨단 기술이 적용된 미래형 아파트에 산다고 착각(?) 할 수도 있을 것 같습니다. 아파트 브랜드에 대한 최종 결정은 십중팔구 이 아파트를 지은 건설사의 회장님께서 직접 하셨을 텐데, 그분께서는 진보와 성장을 매우 중요하게 여기시는 굉장히 진취적인 분 일 것 같습니다. ^^. 게다가 라틴어에서 유래한 'Progress'의 본래의 뜻 역시 'action of walking forward(앞으로 나아감)', 'an advance(전진)'라고 하니 이 단어는 태생부터가 발전 지향적이라고 할 수도 있겠고요. 전쟁은 물론 인생에서도 '전략적 후퇴'라는 것이 있기도 하지만 아무래도 뒤로 퇴보하는 삶보다는 적극적으로 앞으로 전진하는 삶이 훨씬 더 긍정적이라고 할 수 있겠죠.

한편 이 단어처럼 쉬지 않고 앞으로 전진하기 위해

서는 어떤 행동을 취해야 할까요? 무엇보다도 먼저 목표를 잘 세우는 것도 중요하겠지만 자신이 지나온 과거와 바로 지금, 그리고 앞으로 다가올 미래를 세심히 '살피는' 것 역시 매우 중요하겠죠. 앞으로 한걸음씩 나아갈 때 어느 정도의 시행착오는 당연히 있겠지만 이를 최소화하기 위해서라도 (역사, 트렌드, 향후 발전 방향 등을) 잘 '살펴봐야' 한다는 것입니다. 그리고 이렇듯 '살펴보다'라는 뜻을 가진 영어 단어는 'see', 'look', 'watch', behold' 등으로 매우 많지만, 여기서는 어원 자체의 뜻이 '보다(to see)'이면서 우리나라에서 아파트 대용어로 사용되곤 하는 'View'에 대해서 알아보도록 하겠습니다. 이 'View' 역시 '유심히 보다', '~라 생각하다 (혹은 여기다), '관점', '견해', '경치' 등과 같이 아주 많은 뜻을 갖고 있지만 앞서 소개한 'Court' 혹은 'State'와는 달리 그 의미들에 어느 정도 일관성이 있기에 외우고 사용하기가 상대적으로 용이하다고 하겠습니다. 즉, '유심히 보다' → '(보는 시점에 따라) 생각하다' → '(생각에 따라 사물 혹은 현황을 파악하는) 관점' → '(관점에 따라 갖게 된) 견해' 등과 같이 말이죠. 또한 'View'의 주요한 뜻 가운데 하나인 '경치'는 냄새 맡거나 들을 수 있는 것이 아닌 '보는 것'이기에 이 또한 '유심히 살펴보다'라는 의미와 직간접적으로 연결된다고 하겠습니다. 좋은 아파트의 조건 중의 하나가 앞의 시야가 탁 트인 조망권 (건물에서 밖을 바라다 볼 때 보여지는 경관에 대한 권리)이 보장됨은 물론 그러한 조망권을 통해 집 밖으로 보이는 '경치(View)' 역시 좋아야 하기에 우리나라에서는 이 'View'를 'Sky', 'High', 'Golden', 'Park' 등과 같은 단어의 뒤에 붙여서 아파트 대용어로 사용하곤 하지요.

이 'View'와 관련된 사항 중 마지막으로, 유명 영화 중 제목에 'View'가 포함된 영화로는 앞 장에서 소개한 007 시리즈 중 하나인 'A view to a kill(뷰 투어 킬)'을 꼽을 수 있겠습니다. 이 영화는 세상에 나온 지 거진 40년이 다 되어가는데도 그 제목의 정확한 뜻에 대해서 아직도 논란이 많은데요, 가장 유력한 주장은 19세기 영국에서 유행했던 사냥 노래에서 유래했다는 것입니다. 본래 그 노래의 가사는 'from a view to a kill'이고요, 여기서의

'View'는 '사냥감을 눈으로 추적해서 찾는 것'이고 'Kill'은 '총을 쏴 사냥감을 잡는 것'을 의미하죠. 여러분들께서도 잘 아시다시피 007은 살인 면허를 가진 영국 스파이이기에 자신이 제거해야 할 적을 찾아내(View) 제거(Kill)하는 것이 직업인데요, 그러하기에 '(from) a view to a kill'이 그가 하는 일을 단 한 마디로 압축해서 표현한 아주 좋은 제목이라는 주장이 많은 지지를 얻고 있습니다. 하지만 이와는 달리 이 영화의 제목에 대한 제 의견은 'with a view to'라는 숙어에서 'with'가 생략되었다는 것입니다. 사전적으로 'With a view to'는 '~을 하기 위해서', '~을 목적으로'라는 뜻이기에 여기서의 'View'는 끊임없이 눈으로 추적해서 노리고 있는 것, 즉 '목적' 혹은 '목표'가 되겠습니다. 만일 제 의견이 맞다면 이 영화 제목의 정확한 의미는 '죽이기 위해서 (혹은 살인을 위해서)'라는 뜻이 될 것이고요, 이 또한 007이 먹고 살기 위해서 수행하는 업무(?)와 정확히 부합한다고 하겠습니다. 하지만 이건 전적으로 저의 일방적인 의견이라는 것에 유의하시길 ^^.

자, 그럼 여기서 다시 'Progress'로 돌아가 보도록 합시다. 앞서 소개한 것처럼 이 단어는 '진보', '진전' 등과 같이 진취적이면서도 미래 지향적인 뜻을 가지고 있고요, 그리하여 1970년대부터 지금까지 우주 정거장에 연료, 물, 식량 등을 보급하는 러시아 우주선의 이름으로도 사용되고 있답니다. 그렇다면 이 우주선에 탑승한 우주인이 지구를 내려다본 광경(View)은 정말로 멋지지 않았을까요? 음, 유감스럽게도 이 우주선은 무인(無人) 우주선이기에 'Progress호'에 탄 채로 지구의 경치를 감상할 수 있는 우주 비행사는 지금까지도 없었고 앞으로도 없을 것 같습니다. 하지만 세계 최초의 우주 비행사인 'Yuri Gagarin(유리 가가린)'은 1961년 세계 최초의 유인(有人) 우주선인 'Vostok(보스톡)호'를 타고 1시간46분 동안 지구 궤도를 도는 우주 여행을 하는 동안 지구를 내려다보면서 '(우주에서 본) 지구는 푸르다"라는 인류 역사에 길이길이 남을만한 유명한 말을 남기기도 했지요. 이 외에도 그는 "아름다운 지구를 파괴하지 말고 (우리 모두 다 함께) 더욱 더 아름답게 만들어 갑시다"라는 명언도

남겼다고 하네요. 저나 여러분이나 앞으로 우주에 나가서 지구의 모습을 내려다 볼 수 있는 기회가 있을 지 없을 지 모르지만 언젠간 그 광경(View)을 직접 보겠다는 꿈을 가슴에 품고 하루하루 그 날을 향해 앞으로 전진해 나가는 (Progress) 우리 모두가 되었으면 하는 마음 간절합니다. 자, 그럼 이번 장은 이렇게 마치기로 하고, 다음 장에서는 아파트 대용어로 사용되는 단어 중 'Prime'과 'Tower'를 소개하도록 하겠습니다.

제16장. Prime & Tower : 바벨타워, 에펠타워, 그리고 프라임 타워

"I am Staff Sergeant 'Hightower', your new squad leader. Very glad to see you all (제가 여러분들의 새로운 분대장인 '하이타워' 하사입니다. 이렇게 만나게들 되어 정말로 반갑소..."

때는 지금으로부터 약 30여 년 전인 1993년 2월이었습니다. 당시 저는 제대를 3개월여 앞두고 있던 카투사 말년 병장이었고요, 저희 소대에 새로운 미군 하사관이 배치되어 오셨는데...그의 이름(Family name)이 글쎄 'Hightower(높은 타워???)'라는 것 아닙니까?! 그 때까지 제가 2년이 조금 넘도록 용산 미군부대에서 근무하면서 'Light', 'Quick', 'Lord', 'Waters', 'Armstrong', 'Olds', 'Best', 'Gaskill(가스 살인?)', 'Burkhead (언뜻 평범한 이름 같지만 발음이 비슷한 모 욕설 때문에 평범하지 않은 이름이 되었습니다...)' 등 범상치 않은 성씨를 가진 미군들을 많이 만나 봤습니다만 그의 이름은 그 중에서도 가장 군계일학

(群鷄一鶴)인 것 같더군요. 아쉽게도 제가 3달 후에 제대하는 바람에 그와 오랜 시간을 함께 하지는 못했습니다만 훗날 후임병들에게 전해 듣기로 그는 업무 역량이 뛰어났을 뿐 아니라 인품도 고매해서 카투사와 미군들 모두 그의 이름인 '높은 타워'처럼 그를 우러러 봤다고 합니다. 이름과는 달리 항상 안색이 어두웠던 'Light 중사', 언제나 집합 시간에 늦었던 지각 대장 'Quick 일병', 종교와는 완전히 담 쌓고 살았던 'Lord 상병', 수영은커녕 물가에 가까이 가는 것조차 싫어했던 'Waters 일병', 운동하는 것을 싫어해 팔이 무척이나 가늘었던 'Armstrong 상병', 나이에 비해 무척이나 동안이었던 'Olds 중사', 항상 웃는 얼굴이었지만 업무 실력은 별볼일 없었던 'Best 상병'과는 달리 그는 제가 아는 미군 중에서 이름과 언행이 일치했던 유일한 미군이었던 듯 합니다. ^^.

오랜 동안 그를 잊고 지내다가 이 글을 쓰면서 영어 백과사전을 들춰봤더니 그와 같은 성씨를 가진 유명 인사가 굉장히 많더라고요?! 그래서 'Hightower' 가문의 뿌리를 인터넷에서 찾아본 결과, 그의 집안은 영국 'Sussex 지방'의 'Heighton'이라는 곳에서 유래했다고 합니다. 즉, 한국 '안동 김씨'의 본관이 '안동'인 것처럼 그들의 본관은

'Heighton'인 것이죠 (우리 식으로 치면 '하이튼 하이타워 씨'...). 그리고 이 'Heighton'은 본래 '높은(High) 곳에 위치한 토지(Estate)'를 가리키던 말이었다고 하는데요, 아마 그러한 곳에 사는 사람들을 부르는 호칭으로 사용되다가 점차 그 형태가 'Hightower'로 바뀐 것으로 보입니다. 어쨌거나 하이타워 하사는 남들이 우러러 보는 높은 곳에서 사시던 위대한 분들을 조상으로 두신 거네요.

한편 뼈대(!) 있는 가문의 성씨인 'Hightower'에 포함되어 있으면서 이 장의 주인공이기도 한 'Tower'의 어원은 '높은 건축물(High structure)'이라는 뜻의 라틴어 'Torr'이고요, 성경에 등장할 정도로 유구한 역사를 가진 'Tower'는 그 오랜 역사가 무색하게도 여전히 전세계에서 많은 사랑을 받고 있습니다. 우리가 잘 아는 대도시에 위치한 유명 타워만 해도 남산서울타워, 롯데월드타워, 도쿄타워, 타이페이101 타워, 토론토 CN 타워, 메르데카 118 타워 등이 있고요, 역사 속에 등장하는 유명한 타워로는 갈릴레이가 물체 낙하 실험을 한 것으로 유명한 피사의 사탑(영문명 'Tower of Pisa')과 끝을 모르는 인간의 탐욕과 오만함의 상징인 바벨탑 (영어명 'Tower of Babel') 등이 있습니다. 아, 그리고 하나 더, 우리말로는 '에펠탑'으로 부르는 에펠타워 (영문명 'Eiffel Tower')도 절대 빼놓을 수 없지요. 남산서울타워를 비롯한 기타 타워들도 관광객들에게 인기가 높습니다만 이 에펠타워는 연 방문객이 무려 700만 명에 이르기에 전세계 타워 가운데 그 인기가 단연 최고라 하겠습니다. 에펠 타워를 포함한 이들 타워의 높은 인기를 반영하듯 우리나라에서는 이 'Tower'를 아파트 대용어로 사용하고 있기도 하지요. (앞서 소개한 대로) 'Tower' 자체가 높은 건축물이라는 뜻이기에 높이가 일반 아파트보다 훨씬 높은 주상복합 아파트의 이름으로 많이 쓰이고요, 가끔씩은 프리미엄 아파트의 명칭에도 사용되고 있습니다.

여담입니다만, 개인보다는 집단을 더 중시하는 동양에서는 타워에 사람 이름을 붙이는 경우가 거의 없지만 서양에서는 종종 이런 일이 있는데요, 독일의 비스마르크 타워, 영국의 빅토리아 타워, 미국의 시어스타워 (현재는 '윌리스타워'로 명칭 변경됨) 등이 이에 해당된다고 하겠습니다. 물론 위에 언급한 에펠타워도 마찬가지이죠. 그렇다면 만약에 'Hightower' 가문의 유명인을 기리는 의미에서 그의 이름을 타워에 붙인다면 그 타워는 'Hightower Tower'가 되겠네요?! 왜 갑자기 예전 한 개그 코너에 등장했던 '유상무 상무'라는 캐릭터가 생각날까요? ^^.

앞서 전세계 대도시에 위치한 몇몇 타워를 소개했었는데, 스위스의 주요 도시 중 하나인 취리히에는 'Prime Tower(프라임타워)'가 그 웅장한 자태를 뽐내고 있습니다. 헌데 이 타워는 도시의 전경을 훤히 내려다 볼 수 있는 전망대와 고급 레스토랑이 즐비한 우리에게 친숙한 '타워'가 아닌 건물 대부분이 사무실로 이용되는 '비즈니스 전용 빌딩'이라고 하네요. 이름만 '타워'일 뿐 실질적으로는 일반적인 고층 빌딩 (영어로는 이런 건물을 'Skyscraper', 즉 '마천루'라고 합니다)인 것이죠. 그 용도야 어찌됐건 간에 한 때 스위스에서 가장 높은 건축물이었던 만큼 에펠타워처럼 건축가의 이름을 빌딩 이름으로 붙여 줄만도 하건만 이 건물에는 'Prime'이라는 이름이 떡~하니 붙어 있습니다. 음, 그렇다면 'Prime'이 얼마나 대단한 단어이기에 유명 건축가들을 제치고 그 이름을 차지하게 된 것인지 그 정체에 대해서 한번 알아 보도록 할까요?

제일 먼저 이 'Prime'은 형용사로서 '주요한', '최고의', '전형적인' 등의 뜻을 가지고 있고요, 명사로는 '전성기', 그리고 동사로는 '(다음 단계에 맞춰) 준비시키다'라는 의미입니다. 동사로서의 뜻이 좀 애매하긴 한데, 간단한 예문 하나를 소개해 보면, 'Their teachers are getting those students primed for the tests (교사들은 학생들이 시험을 잘 치를 수 있도록 준비시켰다)'와 같이 쓰이고요, 우리가 자주 사용하는 'prepare'와 비슷한 뜻이라고 생각하면 될 것 같습니다. 그렇다면 이젠 'Prime Tower'의 뜻이 뭔지 대략 추측하실 수 있으시겠죠? 네, 그렇습니다, 앞서 소개한 'Prime'의 뜻처럼 '최고의 타워'가 되겠지요. 스위스에서는 'Prime'을 이처럼 고층 빌딩의 명칭으로 사용합니다만 자타가 공인하는 아파트 왕국인 우리나라에서 이 단어는 아파트 대용어로 사용되고 있고요, 따라서 'OO Prime'이라 이름 붙여진 아파트는 'OO 전성기 (아파트)'가 되겠습니다. 아마도 이 아파트에 살면 '인생 최고의 시간(Prime)'을 보낼 수 있다는 뜻인 것 같네요. 그 사실 여부야 알 수 없는 노릇입니다만...^^. 여담입니다만, 몇 년 전 개봉한 한국 영화 가운데 'In our prime'이라는 영어 제목을 가진 작품이 있는데요, 이 제목을 우리말로 직역하면 '우리들의 전성기'가 되겠지만 이 영화의 본래 제목은 '이상한 나라의 수학자'입니다. 최근 '파묘'라는 작품으로 또 다시 상한가를 치고 있는 최민식 배우가 주연을 맡았고요. 그런데 여러분들도 알아차리셨겠지만 이 영화의 한글과 영어 제목이 달라도 너무 다릅니다. 한글 제목은 '이상한 나라의 앨리스(Alice in Wonderland)'를 참고한 듯한 '이상한 나라의 수학자'이지만 영어 제목은 '우리들의 전성기 (혹은 우리 인생의 가장 빛나는 때)'인 'In our prime'이니 말이죠. 이 영화의 주요 내용은 탈북자 출신의 천재 수학자가 한 고등학생에게 수학을 가르치면서 새로운 삶의 전환점을 맞이하는 것이기에 제 생각에는 'Mathematician in Wonderland (이상한 혹은 멋진 나라의 수학자)'라는 영문명이 더 어울릴 것 같습니다만...뭐, 영어 제목 정하는 것은 감독 마음이겠죠. ^^.

자, 그럼 여기서 다시 'Tower'로 돌아가 보도록 합시다. 30여 년 전 잠시나마 저의 전우였던 '하이타워(Hightower) 하사'는 주위 동료들의 드높은 존경을 받았습니다. 그리고 2024년 현재에도 전세계 곳곳에 위치한 '타워(Tower)'는 큰 인기를 누리고 있고요. 하지만 이와 대조적으로 성경에 등장하는 바벨타워(Tower of Babel)는 수천년 전부터 작금에 이르기까지 인간의 끝없는 탐욕과 오만의 대표적인 상징물로 치부되고 있습니다. 하늘에 이르는 탑을 쌓아 자신들의 이름을 널리 떨치려고 하는 것도 모자라 급기야 신의 권위에까지 도전하는 오만함이 인간 내면에 깊이 내재되어 있는 지는 확실치 않지만, 바벨타워와 마찬가지로 한국의 아파트 (특히 주상복합아파트)는 마치 하늘을 찌르려는 듯 해가 갈수록 점점 더 높아져만 갑니다. 혹자는 이런 현상을 가리켜 '과학 기술의 발전에 힘입은 거주 공간의 진화'라고 평하기도 합니다만 "초고층 빌딩의 열풍은 곧 이은 경제 위기를 예고한다"라는 '마천루의 저주'와 같은 가설도 굳건히 존재한다는 것을 염두에 두고서 우리가 지금 가는 길이 맞는지 잠시라도 걸음을 멈춰 고민해 봤으면 하는 마음 간절합니다. 하지만 아쉽게도 그에 대한 정답은 이미 정해져 있는 지도 모르지요. 구약성경 때나 지금이나 (먹고 사는 문제와 밀접한 관련이 있는) 경제 논리가 항상 우리 인간의 실존적인 고민에 우선했으니 말이죠. 자, 우울한 얘기는 여기까지만 하기로 하고, 다음은 아파트 대용어의 마지막(!) 장인 'Ballade'와 'Rium'에 대해서 알아보도록 하겠습니다. 마지막까지 힘차게, 신나게! ^^.

제17장. Ballade vs. Rium, 발라드에 살고, 예술에 살고!

"Hur, what kinds of music do you enjoy listening to (허일병은 어떤 음악을 좋아하시나)?"
"I like ballad music (발라드를 좋아합니다)."
"Ballad? What kind of music is that (발라드? 그게 어떤 음악이지)?"
"You don't know what ballad is, Specialist Allen? You're kidding, right(아니, 알렌 상병님, 발라드가 뭔지 모르신다고요? 농담이 너무 심하신 거 아닌가요)?"

앞 장에 이어 이번 장 역시 군대 얘기로 시작해 봅니다. 군대 얘기긴 하지만 군대에서 축구 한 얘기는 아니니 너무 걱정하지는 마시고요. ^^. 1992년 초 제가 (카투사) 일병일 때 저와 친하게 지내던 'Allen(알렌)'이라는 알래스카 출신의 미군 상병이 있었는데, 패트롤카를 타고 용산 기지를 순찰하면서 이런 저런 얘기를 하다가 자연스럽게 음악 얘기로 옮겨갔지요. 아니 그런데 이 알렌 상병이 '발라드(Ballad)'라는 음악 장르를 전혀 모른다는 것이 아닙니까! 1992년 당시에도 한국 가요계에는 이미 변OO, 신OO 등이 '발라드의 황제'로 군림하고 있었음은 물론 '두 시의 OOO', '김OO의 팝스 다이알' 등의 라디오 프로그램을 진행하던 DJ들이 "방금 들으신 곡은 서정적인 가사와 감미로운 선율이 돋보이는 발라드 풍의 팝송이었습니다"라는 멘트를 줄창 날리곤 했건만, 어찌하여 팝송의 본고장에서 온 '미쿡 사람'이 발라드를 모른다는 건지 당최 이해가 되지 않더군요. 그래서 발라드가 어떤 음악인지 설명해줬더니 그는 씩~하고 웃더니 미국에서는 그런 종류의 음악을 'Easy listening' 혹은 'Adult contemporary'라고 한다는 겁니다. 그러니까 한국에선 '발라드'라 불리는 유행가 (종류)를 팝의 본고장에서는 '듣기 편한 음악(Easy listening)' 혹은 '어른들(Adult)이 좋아할 만한 근래에 발표된 노래(Contemporary)'라고 부른다는 것이죠. 그러면서 알렌 상병은 그러한 장르의 대표적인 가수로는 'Lionel Ritchie(라이오넬 리치)', 'Elton John(엘튼 존)' 등이 있다고 하더군요.

당시에도 새로운 지식, 특히 영어에 대한 호기심이 왕성(!)했던 저는 근무가 끝나자마자 'Ballad'의 정확한 뜻을 찾기 위해 'Yongsan Library(용산도서관)'로 향했습니다. 그곳에 있는 영어 백과사전에서 발견한 관련 내용은 굉장히 길었습니다만 요점만 간추려 보면, ①'Ballad'의 어원인 '춤추다'라는 뜻의 라틴어 'ballare'는 프랑스어에서 'balar'가 되었다가 영국으로 건너와 '춤을 위한 시'라는 뜻의 'ballad'가 되었으며, ②어원에서도 알 수 있듯이 발라드는 12세기 무렵 프랑스의 떠돌이 시인들이 부르던 자유로운 형식의 무도가(舞蹈歌)였지만 유럽 각국으로 퍼지는 동안 춤이 점차 사라지면서 시를 가사로 한 서정적인 가곡이 되었으며, ③시대 별로는 14세기엔 역사, 전설, 종교 관련 소재를 다룬 독창곡이었다가 16세기에는 이야기 형식의 성악곡으로 발전하였고, 19세기에는 서정적인 피아노곡 역시 '발라드'라고 불리다가 19세기 말에 이르러서는 인간의 감성에 호소하는 모든 노래를 의미하게 되었다고 합니다. 그 후 20세기 중반을 지나며 팝에서도 'Pop ballad(팝 발라드)'라는 분야가 공식적으로 생겨났는데 이 용어가 우리나라로 건너오면서 간단히 '발라드'라고 줄여 부르게 된 것이죠. 그리하여 한국 대중가요계에서 이 발라드는 1980년대 후반부터 '서정적이고도 애절한 사랑 노래 (장르)'를 지칭하게 되었습니다.

한편 알렌 상병은 'Pop Ballad'의 대표적인 가수가 '라이오넬 리치'와 '엘튼 존'이라고 했습니다만 요즘 가수로는 'Post Malone(포스트 말론)'이 대표적인 '팝 발라드' 가수가 아닐까 합니다. 비록 그는 자신의 음악이 "컨트리 음악, 힙합, R&B가 한데 섞인 'Melting Pot' "이라고 했지만 말이죠. 그리고 지금껏 부른 노래 별로 조금씩 차이가 있긴 하지만 'It will rain', 'When I was your man' 등을 부른 'Bruno Mars(부루노 마스)' 역시 넓은 의미에서는 발라드 가수라고 할 수 있을 것 같고요.

그런데 이처럼 문학 및 음악과 깊은 관련이 있는 'Ballad' 역시 한국에서는 아파트 대용어로 사용되는데요, 이에 해당되는 아파트는 바로 '푸OOO 발라드'가 되겠습니다. 관련 업체의 설명에 따르면 이는 '푸OOO'라는 아파트 브랜드에서 파생된 젊은 층을 겨냥한 하위 브랜드로서 그 정체(?)는 '프리미엄 펜트하우스 오피스텔'이라고 합니다. 즉, 이 명칭에 포함된 '발라드'는 곧 고급 공동주택 (오피스텔)이란 뜻인 것이죠. 헌데 이 아파트의 홍보 문구는 "내 삶의 발라드, 일상 속 작은 여유와 행복", "여유와 행복으로 내 삶의 발라드가 흐릅니다"이고 그 바로 옆에 작은 음표 몇 개가 그려져 있어 외국어 명칭 역시 앞서 설명한 'Ballad'일 것 같지만 실제로는 'Balade'이고요, 우리말 발음이 'Ballad'와 마찬가지로 '발라드'인 이 프랑스어 단어의 뜻은 '산책'이라고 하네요. 하지만 광고 문구에서도 알 수 있듯이 본래는 우리에게 친숙한 'Ballad'를 아파트 명칭에 포함시키려다가 이 단어가 '다수의 국민이 이미 알고 있는 유명한 명칭'으로 판별되어 상표권 등록이 어렵게 되자 차선책으로 발음이 같고 철자가 비슷한 'Balade'로 바꾼 것이 아닌가 추측됩니다. 참고로 현재 우리나라에서 이 'Ballad'는 상표 등록이 거부되는 등의 이유로 그 어떠한 제품의 상표로도 사용되고 있지 않습니다...

지금까지 'Ballad'와 관련된 여러 가지 이야기를 살펴봤는데, 이젠 음악과 더불어 예술 분야의 가장 큰 부분을 차지하고 있는 미술로 넘어가 보도록 하겠습니다. 아마 많은 분들이 지금은 저 세상에 계신 이 모 회장께서 세운 '리움 미술관'에 대해서 들어보셨을 거에요. 소장 미술품의 질과 양에 있어서 국내 최고일 뿐 아니라 세계 최정상급 건축가들의 손끝에서 탄생한 미술관 건물 역시

장관이기에 아무리 미술에 문외한이라 해도 다들 한 번씩은 방문해보고 싶은 곳이기도 하죠. 그런데 이 곳은 삼성그룹 창업주이자 소문난 미술 애호가로 유명한 고 이병철 회장의 'Lee'와 'Museum'의 'um'을 따서 'Leeum'이라고 이름 붙였다고 합니다. 즉 '이병철 회장의 미술관'이란 뜻인 거죠. 그리고 영어 접미사 중 한국어 발음이 역시 '리움'인 접미사가 하나 있으니, 그것이 바로 'rium'이 되겠습니다. 라틴어에서 유래한 이 접미사의 뜻은 'Place'이고요, 비록 독립된 단어는 아니지만 그 의미가 공동주택과 밀접한 관련이 있는 '공간'인데다가 발음도 예뻐서(!) 우리나라에서는 아파트 대용어로 널리 사용됩니다. 제가 단 2분 만에 인터넷에서 찾은 '리움'이 포함된 아파트 이름만 해도 펜테리움, 엘리움, 휴리움, 웰리움, 센트리움, 아스테리움, 하트리움, 미소드리움, 하나리움, 헤리움 등으로 엄청 많은 걸 봐도 그 높은 인기를 짐작할 수 있지요. 음, 그렇다면 앞서 소개한 'Leeum'과 이 'rium'은 어떤 관련이 있을까요? 아쉽게도 우리말 발음만 같을 뿐 별다른 상관이 없습니다. 왜냐면 영어 알파벳 'L'과 'R'은 우리말로는 모두 'ㄹ'로 발음되지만 영어 발음은 완전 다르기 때문이죠...

자, 그럼 여기서 다시 이 장의 문을 열었던 'Ballad'로 돌아가 봅시다. 미국에서는 2005년부터 'Criminal Minds(크리미널 마인드)'라는 유명 범죄 드라마가 (중간에 잠시 중단된 적도 있었지만) 지금까지 공중파를 통해서 인기리에 방영되고 있는데요, 이 중 한 에피소드에 'Ballad'와 관련된 장면이 나옵니다. 수사팀장이 처참한 살인 현장에 있던 거울에 쓰여진 "Fair lady, throw those costly robes aside, (아름다운 여인이여, 그 값비싼 옷일랑은 이제 저 멀리로 던져버리소서), No longer may you glory in your pride (당신 자만심 속의 영광은 이미 사라져버렸나이다); Take leave of all your carnal vain delight(이제 지금껏 당신이 즐겨온 헛된 육체의 환락과 작별 인사하시길)..."라는 글귀를 동료 형사들에게 들려주자 그들 중 한 명이 별안간 "I've come to summon you away this night (오늘 밤 내가 당신을 데려가기 위해 여기에 왔나이다)"라며 곧바로 읊어대면서 이 시는 17세기에 쓰여진 'Death and the lady(죽음과 여인)'라는 제목의 '발라드'로서 한 여인이 자신을 데려가려는 죽음의 사자에게 살려달라고 애원하는 것이 주요 내용이라고 막힘없이 설명해 나가죠. 대체 그가 누구냐고요? 그의 이름은

'Spencer Reid(스펜서 리드, 이하 리드박사)'이고요, IQ가 무려 187(!)이며 13세에 세계 최고의 명문 공대에 입학해 수학, 공학, 화학 박사 학위를 동시에 취득했음은 물론 독해력, 기억력, 수학 암산, 통계 수치 계산의 천재여서 고차원적인 계산도 앉은 자리에서 바로 해버리며, 의학은 물론 고전 문학에도 해박한 지식을 가진 천재 중의 천재입니다! 그의 설명을 들은 동료 형사는 살인 현장에 그런 걸 써놓을 정도의 지식을 가진 자라면 필시 영문학 관련 교수일 가능성이 매우 높을 것 같다며 리드박사의 말에 놀라움을 금치 못합니다만 또 다른 형사는 껄껄대고 웃으며 "아이구, 리드박사, 그러니까 연애를 못하지(Reid, no wonder you can't get a date)"라고 한마디 하죠. 자타가 공인하는 모태 솔로인 리드박사가 여자 친구 하나 없는 이유가 허구한 날 수 백 년 전에 쓰여진 '발라드'나 외우는 것은 물론 여자 앞에서 그런 고리타분하면서도 재미없는 말만 늘어 놓기 때문이라며 놀려대는 것입니다. 그 대신 만일 리드박사가 애절한 사랑을 노래한 K-POP 발라드의 가사를 외워 여자들 앞에서 한국어로 쫙~ 읊어댄다면 금새 모태 솔로를 탈출 할 수 있을 것 같은데 말이죠. ^^. 그가 지금이라도 중세 유럽에서 쓰여진 '발라드'는 그만 외우고 곧장 한국어를 배우기 시작해 한국 '발라드' 가요의 가사를 줄줄 외워 연애에 활용하기를 바라는 마음 간절합니다.

여기까지가 아파트 대용어로 사용되는 단어들에 대한 내용이 되겠습니다. 제2부에서는 이러한 아파트 대용어 앞에 붙어 아파트의 브랜드로 사용되는 (영어) 단어들에 대해서 알아보도록 하겠고요, 신화나 역사에 등장하는 신과 인물, 혹은 우리가 평상시 자주 사용하는 단어를 이름으로 아파트의 브랜드를 중심으로 소개하도록 하겠습니다. 최대한 많은 정보 전달을 위해 앞쪽에 소개했던 아파트 대용어와는 달리 간단 간단하게 많은 내용을 소개하도록 하지요. 자, 그럼 바로 시작합니다.

제2부. 아파트 브랜드

제1장.Hyperion,'천상에서 내려오는 빛'

Hypertension, hypersensitive, hyperventilation, hyperlink 등등, 여러분들께서는 아마 'Hyper'로 시작되는 이들 단어들을 적어도 한 두 번씩은 들어보셨을 겁니다. 그 뜻을 간단히 설명해 보면, 'hypertension'은 '고혈압', 'hypersensitive'는 '지나치게 민감한', 의학용어인 'hyperventilation'은 '과호흡증후군', 그리고 'hyperlink'는 '단어나 기호, 그림 등을 문서 내의 다른 요소나 다른 문서로 연결해 놓아 이 부분을 마우스로 클릭하면 지정된 위치로 곧바로 이동'하는 것을 뜻하지요. 이렇게 써놓으니까 좀 복잡한데 쉽게 말해서 문서 작업을 하다가 (문서 내의) 어느 특정 부분을 클릭하면 곧장 지정된 위치 혹은 인터넷 홈페이지로 연결되는 것을 말합니다. 영어인 'Hyperlink'는 좀 낯설지만 이는 곧 우리가 컴퓨터를 사용할 때 자주 쓰는 '하이퍼링크' 기능인 것이죠.

그런데 위에 소개한 단어들의 뜻을 자세히 살펴보면 마지막 'hyperlink'를 빼고는 모두 한 가지 공통점이 있다는 것을 알 수 있습니다. 그것은 바로 이들 단어들 모두 뭔가 정상적이지 않고 어딘지 모르게 과열된 상태를 나타낸다는 것이죠. 그렇다면 이들 단어에 공통적으로 포함된 'hyper'의 뜻이 무엇이길래 이런 의미를 갖게 되는 것일까요? 어원사전에 따르면 'hyper'는 '~의 위에', '초월적인', '지나친' 등의 뜻을 가지고 있습니다. 그리스 출신인 이 접두사의 의미가 이러하기에 'hypertension'은 정상보다 높은 혈압, 즉 '고혈압'이 되는 것이고, 'hypersensitive'는 그냥 민감한 것이 아니라 '지나치게' 민감한 것이고요, 'hyperventilation'은 정상적으로 내쉬는 호흡이 아닌 '헉헉거리며 세차게 내뿜는' 과도한 호흡이 되는 것이죠. 그렇다면 이제 남은 건 'hyperlink'뿐인데 ...'link'가 '연결'이란 뜻이기에 그냥 쉽게 생각하면 'hyperlink'는 말 그대로 '지나치게 과도한 연결'일 것이고요, 문서 내의 특정 부분을 클릭하면 곧바로 자신이 원하는 파일이나 인터넷 웹페이지를 확확 열어 젖히니 어떤 측면에서는 '과도하게' 연결된 것이겠죠. 여기서의 'hyper'를 'super'로 바꿔도 그 뜻이 아주 잘 통할 것 같습니다. 흠, 그런데 'superlink'라고 하니까 마치 SNS나 데이트 앱 명칭으로 잘 어울릴 것 같습니다. ^^.

지금까지 'hyper'와 이 접두사가 포함된 단어 몇 개를 살펴봤는데요, 그럼 이제 'hyper'가 포함된 단어를 하나 더 소개해 보도록 하지요. 그 단어는 바로 'Hyperion'이 되겠습니다. 이 단어의 뜻은 '위에서 내려다 보는 자' 혹은 '높은 곳을 걷는 자'이고요, 앞서 소개한 것처럼 'hyper'가 '위의', '높은' 등의 뜻이기에 이런 의미를 갖게 된 것입니다. 이러한 'Hyperion'의 어원적인 뜻에서 어느 정도 유추가 가능하기도 합니다만 이 단어는 그리스 신화에 등장하는 12명의 타이탄 신(神) 중 하나이자 '천상의 빛(heavenly light)'을 관장하는 신의 이름이기도 합니다. 아울러 그는 '천상의 빛' 여신인 'Eos'와 태양신인 'Helios', 그리고 달의 신인 'Selene'의 아버지이기도 하지요. 'Hyperion'은 유럽 문학작품에도 자주 등장하는데요, 가장 널리 알려진 작품으로는 'Deep in the shady sadness of a vale (계곡의 그늘진 슬픔 깊은 곳에)~'로 시작하는 영국 시인 'John Keats(존 키츠)'가 쓴 동명의 서사시가 있습니다. 또한 이 'Hyperion'은 우리나라에서 아파트 명칭으로도 사용되는데요, '천상의 빛'을 담당한 신의 이름답게 한 때 한국에서 가장 높은 공동주택이기도 했던 한 주상복합용 아파트의 명칭이지요. 저희 집에서도 이 곳이 아주 멀게 보입니다만 아파트라기보다는 흡사 하늘 높이 우뚝 솟은 탑처럼 보입니다. 저렇게 높은 곳에서 살면 어지럽지 않을까 하는 생각이 가끔 들기도 하죠. ^^.

한편 그리스 신화 속에서 'Hyperion'은 'Kronos(크로노스)'를 비롯한 자신의 형제 3명과 공모하여 하늘의 신이자 자신의 아버지이기도 한 'Uranos(우라노스)'를 왕좌에서 끌어내리고 '황금시대'를 열었습니다만, '제우스(Zeus, 영어로는 'Jupiter)'를 위시한 올림포스 신들과의 전쟁에서 패한 후 그 벌로 지금도 'Tartarus(타르투스)'라는 지하 감옥에 갇혀 있다고 합니다. 흠, 이처럼 깊고도 깊은 지하 감옥에 갇힌 'Hyperion'과는 달리 같은 이름을 가진 아파트의 가격은 해를 거듭할수록 천장부지로 오르고 있으니 이 또한 역사의 아이러니라 할밖에요.

제2장. Paragon : 모범, 시금석, 그리고 다이아몬드

앞서 'Hyperion'을 포함한 'Hyper'로 시작되는 단어들에 대해서 알아봤는데, 이번에는 이 장의 주인공인 'Paragon'를 비롯해 'Para'로 시작되는 여러 단어들에 대해서 살펴보도록 하겠습니다. 먼저 접두사인 'Para'는 '~의 공격으로부터 보호하는(protect from)'이라는 의미를 가지고 있는데요, 여러분들도 잘 아시는 'Parasol(파라솔)'은 '태양(Sol)으로부터 보호하는(para)'이란 뜻이며, 역시 우리에게 친숙한 'Parachute(낙하산)'는 '추락(Chute)으로부터 보호하는(para)'이라는 의미가 되겠습니다. 이외에도 이 접두사는 '~을 초월한(beyond)', '~와 유사한(similar to)' 등의 뜻이 있는데요, 그래서 'Paranormal'과 'Paramilitary'는 각각 '초자연적인' 그리고 '준군사적인, 예비군의'이라는 뜻이 되지요. 아울러 'Paralympics(패럴림픽)'은 우리말로는 '장

애인 올림픽'입니다만 어원적으로는 '정식 올림픽은 아니지만 (정식) 올림픽에 준하는 대회'가 되겠습니다. 마지막으로 소개할 'para'의 뜻은 'alongside (~의 옆에, ~와 함께) 인데요, 이 장의 주인공인 'Paragon'에서의 'para'가 이에 해당된다고 하겠습니다.

'Paragon'의 우리 말 뜻은 '귀감', '모범', '시금석', '100캐럿이 넘는 무결점 다이아몬드' 등으로 좋은 뜻이란 좋은 뜻은 다 가지고 있습니다만 어원적으로 이 말은 본래 '숫돌로 갈아 (날을) 날카롭게 하다'라는 의미인 그리스어 'parakonan (=para + konan)'에서 유래했으며, 그 후 이탈리아로 건너가 '시금석'이라는 뜻의 'Paragone'이 되었다가 영어의 'Paragon'이 되었다고 합니다. 말 그대로 '시금석(試金石)'이란 '금을 시험하고 평가하는 돌'이고요, 금이나 은 같은 귀금속을 이 돌에 비벼댄 후 그 표면에 남은 자국의 색깔로 순도를 시험 (혹은 측정)했다고 하네요. 이 세상에서 가장 귀한 금속 중 하나인 금의 순도를 시험하고 평가하는 돌이기에 후대에 '귀감', '모범' 등의 뜻으로 확장된 것으로 보이고요, 이렇듯 유용한 시험 도구로 사용되기 위해서는 어떠한 흠결도 없이 높은 가치를 지니고 있어야 하기에 가격이 수 백억 원대에 이르는 100캐럿이 넘는 다이아몬드까지 뜻하게 된 것 같습니다.

한편 이 'Paragon'은 우리나라에서 2000년 초 출시된 아파트 브랜드로 사용되고 있는데요, 관련 업체에 따르면 이 아파트는 'Paragon'의 수많은 뜻 중에서도 특히 '100캐럿 이상의 완전한 다이아몬드'를 의미하며, 이와 같은 최정상의 공동주택을 짓겠다는 임직원들의 의지를 반영한 것이라고 합니다. 이 브랜드의 뜻처럼 계속해서 무결점 다이아몬드에 필적하는 아파트를 지어주시기를 회사 임직원 여러분들께 부탁 드리고 싶습니다만, 다이아몬드의 위상이 예전만 못해 안타깝습니다. 2023년 7월까지 다이아몬드 가격은 1년 전 대비 40%나 폭락하였고 올해 초 다소 반등세를 보이다가 2월부터 재차 하락세로 전환된 것으로 보이고요, 가격 하락의 주요 요인은 화학 성분과 성질이 천연 다이아몬드와 동일하지만 가격은 30% 수준인 '합성 다이아몬드 (Synthetic 혹은 Lab grown diamond)'가 점차 시장 점유율을 높여가고 있기 때문이라고 하네요.

이러한 추세를 완전히 되돌릴 수는 없겠지만, 아주 오래 전부터 현재까지도 '영원한 사랑'의 징표인 (천연) 다이아몬드가 예전의 높은 위상을 조금씩이나마 되찾을 수 있기를 바라겠습니다!

제3장. Sharp, 목포는 항구다, 그리고 'Sharp'는 'Flat'이다?

"제 여인의 이름은 지니 지니였어요...", 이렇게 시작되는 가요가 있습니다. 지금으로부터 40여 년 전인 1980년대 중반에 나온 '제 여인의 이름은'이라는 곡인데요, '골목길'이라는 노래로 전국을 뒤흔들었던 가수가 후속작으로 내놓아 크게 히트 쳤던 노래입니다. 저는 이 곡의 가사를 벤치마킹해서 다음과 같은 구절로 이 장을 시작하고 싶습니다. '그 여인의 이름은 샤프(Sharp), 샤프였어요" 라고 말이죠.

제가 '제 여인의 이름은'이라는 노래 가사를 '그 여인의 이름은'으로 바꾼 이유는 'Sharp'라는 이름 (엄밀히 말하면 'Last name', 즉 성씨)을 가진 '그 여인'이 저의 연인이었기는커녕 딱히 저랑 이렇다 할 친분이 없었기 때문입니다. 그녀는 제가 2000년대 초 영국 런던에서 유학 생활을 할 때 같은 학교에 다니던 미국인 여학생이었고요, 저희가 함께 듣던 모 수업은 자리가 지정되어 있어 학기가 시작할 때부터 끝날 때까지 그녀와 나란히 앉아 수업을 들어야만 했지요. 어느 날 수업이 시작되기 전에 그녀와 이러쿵 저러쿵 수다(?)를 떨다가 문득 성씨와 관련된 이야기를 하게 되었는데, 그녀는 자신의 외모는 백인처럼 보이지만 실제로는 아메리칸 원주민의 피를 일부 물려받았으며 'Sharp'라는 성씨 역시 우리가 소위 '인디언'이라고 부르는 원주민 조상으로부터 유래했다고 하더군요. 그래서 제가 농담반 진담반으로 "1990년대 초반에 개봉된 '늑대와 춤을(Dances with wolves)'이라는 영화 제목이 주인공의 원주민식 이름이잖아? 그의 원주민 동료 중에는 'Stands with a fist(주먹 쥐고 일어서다)', 'Wind in his hair(그의 머리칼 속 바람)'라는 이름을 가진 사람들도 있고 말이야. 그럼 혹시 너희 조상님 성함도 본래는 'Sharpens knives with a grindstone(숫돌로 칼을 갈다)'와 같이 긴 문장이었는데 후대로 내려오면서 'Sharp'로 줄어든 것이 아닐까?"라고 했더니 그녀는 씩~하고 웃으며 "글쎄? 잘 모르겠는데..."라고 하더군요. 하긴 뭐 유교 사회에서 태어나고 자란 저 역시도 제 성씨의 본관이나 겨우 알지 항렬이 어떻게 되는지 혹은 무슨 파인지는 잘 모르니 그녀에게 뭐라 할 수도 없는 일이지요. 아마도 이 대화가 그녀와의 마지막이었던 것 같고, 그 수업이 종강된 후로는 단 한번도 그녀를 보지 못했습니다. 그래서 그녀는 '제 여인'이 아니라 '그 여인'이 되어버린 것이죠. ^^.

이제는 가물가물하기만 한 그녀의 모습을 애써 머리속에 떠올려보며 'Sharp'라는 성씨가 정말로 북미 원주민에서 유래했는지 열심히 인터넷을 뒤져봤습니다만 유감스럽게도 그에 대한 근거는 발견하지 못했고요...오히려 모 인터넷 사이트에는 'Sharp'라는 성이 영국 잉글랜드 지역에서 유래했다고 나와 있더군요? 즉, 옛날 옛적 뭐든 이해가 빠르고 행동 역시 빠릿빠릿한 사람에게 붙여준 별명이었는데 그 별명이 아예 그가 뿌리 내린 가문의 성씨가 되었다는 것이죠. 이와 유사한 예로 슈퍼 히어로 영화에도 등장하는 'Strange'라는 성씨를 들 수 있습니다. 아주 오래전 영국에서는 타지역에서 온 낯선 사람을 '낯설다' 혹은

'이상하다'라는 뜻을 가진 'Strange'라고 불렀는데, 그 별칭이 후대에 전해져 후손의 성씨가 되어버린 것이라고 하네요.

그럼 여기서 사람의 성씨이면서 음악 기호의 명칭으로 사용되는 동시에 우리나라에서는 아파트 브랜드이기도 한 'Sharp'의 여러 가지 뜻에 대해서 알아 보도록 하겠습니다. 제일 먼저 형용사로서 이 단어는 '(칼날, 눈매, 정신, 비판, 감정, 소리 등이) 날카로운', '(윤곽 등이) 뚜렷한', '(가격 등의 변화가) 급격한', '(맛, 냄새 등이) 톡~ 쏘는', '(사업 수완 등이) 뛰어난', '(패션 등이) 멋진' 등의 다양한 의미를 가지고 있습니다. 제일 마지막 두 가지 뜻을 군대를 예로 들어 다시 설명해보면, 군대에서 'Sharp shooter'란 사격 실력이 뛰어난 '명사수'를 뜻하고요, 그리고 "You look sharp!"라는 표현은 조금 의역해서 번역하면 '너 오늘 옷빨 죽인다!"라는 의미로 군복을 빳빳이 다리고 군화는 광이 번쩍번쩍나게 닦았음은 물론 모자 각도 멋지게 잡아서 정말로 '제복빨'이 팍팍 사는 것을 뜻합니다. 민간인(?) 용어로 치면 옷을 정말로 '간지나게' 잘 차려 입은 것이죠.

그 다음으로 'Sharp'는 부사로서 '(특정 시간의) 정각'이라는 의미를 가지고 있고요, 예를 들어 '5 o'clock sharp'는 '정각 5시'란 뜻입니다. 마지막으로 명사로서 이 단어는 형용사적인 뜻에서 충분히 유추 가능한 '날카로운 물체', 그리고 '(필기구인) 샤프' 등의 의미가 있으며, 아울러 음악에서는 '반음 높은 음 (기호로는 ♯)'을 뜻하기도 합니다. 특히 우리나라에 있는 동명의 아파트 브랜드는 이 뜻을 채용한 것이라고 하네요. 해당업체에서는 이 아파트 브랜드가 "반음 올림을 뜻하는 음악 기호인 '♯ '과 같이 삶의 질이 '반올림' 된다는 뜻을 담은 것은 물론 고객보다 '반걸음' 앞서 먼저 생각한다는 의미"라고 밝히기도 했지요. 하지만 글쎄요? 제가 느끼기에는 우리에게 친숙하면서도 어감도 괜찮은 'Sharp'를 먼저 브랜드로 정하고 나서 그 다음에 뜻을 갖다 붙인 것 같은데요? 그 진실이야 해당업체 실무자께서 아시겠습니다만...

한편 앞서 몇 차례 언급했던 것처럼 'Sharp (♯)'는 반음 올림을 뜻하는 음악 용어로 이의 반대는 당연히 음을 반음 내리는 것이고요, 그 기호는 '♭'이고 'Flat'이라 부롭니다. 사전적으로 'Sharp'의 반대말은 '뭉툭한'을 뜻하는 'Dull'이나 'Blunt'가 되야 할 것 같지만 음악에서 'Sharp'의 반대말은 'Flat'이라는 것이죠. 이는 아마도 노래를 할 때 음을 조금이라도 높여 부르면 'Sharp'의 뜻과 같이 '날카롭게' 들리는 반면 이와 반대로 음을 낮춰 부르면 'Flat'의 뜻 중 하나인 '생기가 없고 의기소침'하게 들릴 수도 있기에 이 같은 이름이 붙여진 것은 아닐지 추측해 봅니다. 또한 이 '♭'은 알파벳 'B'의 소문자인 'b'를 멋스럽게 쓴 것으로 이는 본래 '뭉툭한(Dull)'이라는 뜻이었던 독일어 단어 'Blatt'에서 유래했다는 주장이 있기도 하지요.

그런데 한 가지 재미있는 건, 음악에서는 서로 반대인 'Sharp'와 'Flat'이 시간적인 개념을 나타낼 때는 모두 'Exactly(정확히)'라는 뜻이라는 것입니다. 물론 세부적인 의미는 조금 다르지만 말이죠. 앞서 설명했듯이 'Sharp'는 '5 o'clock sharp(정각 5시)'와 같이 '특정 시점'을 의미하는 반면 'Flat'은 '10 seconds flat(정확히 10초)' 혹은 '4 hours flat(정확히 4시간)'과 같이 달리기를 포함한 '특정 행위가 소요되는 시간'을 뜻하지요, 조금 더 자세히 얘기하면 남자 100m 달리기의 한국 신기록은 10.07초이지만 누군가 새로이 '10초 Flat'을 기록했다면 이는 소수점 밑에 붙은 숫자 하나 없이 정확히 '10초'에 뛰었다는 뜻입니다. 허나 'Sharp'와 'Flat'의 악연(?)은 여기서 끝나지 않는데요, 왜냐하면 이 책의 앞에서 소개한 대로 상황에 따라 'Flat'은 '아파트'를 의미하고 'Sharp'는 한국에서 '아파트 브랜드'로 사용되기 때문이죠. 그렇다면 이 두 단어는 음악에서는 반대말이었다가 (비록 상세한 의미는 조금 다르지만) 둘 다 'Exactly'라는 같은 뜻으로 쓰이기도 하다가 'Sharp'가 'Flat'에 포함된 그 일부가 되기도 한다고 하겠습니다. 음, 허면 이렇게 말할 수도 있지 않을까요? "목포는 항구다. 그리고 'Sharp'는 'Flat'이다"라고 말이죠. 물론 공동 주택이라는 영역에만 한정해서. ^^.

제4장. Metrocity, '엄마 도시' 혹은 '지하철 도시', 그것도 아니면 '도시 도시'?

영어로는 'Evel Knievel', 그리고 우리말로는 '이블 크니블'인 미국의 전설적인 오토바이 스턴트맨을 기억하시는 분이 혹시 계실런지요? 만일 그의 이름을 처음 들으셨다면 "뭐? 이불 큰 이불? 거 참, 이름 한 번 희한하네?" 라고 하실지도 모르겠습니다. 평생 그는 셀 수 없이 많은 스턴트 묘기를 선보였는데요, 특히 1975년에는 오토바이를 타고 35 미터를 점프해 무려 14대의 그레이하운드 고속버스를 뛰어넘어 미국 인구의 절반을 TV 앞으로 끌어 들이기도 했습니다. 당시 유치원에 다니던 저 역시 TV 해외토픽에서 본 그의 묘기에 너무 놀란 나머지 한동안 입을 다물지 못했지요. 지금이야 돈을 벌기 위해서라면 보통 사람들은 감히 상상도 하지 못할 엽기적인 행각을 벌이는 사람들이 넘쳐나지만 그 때만 해도 쓸데없이(?) 오토바이로 버스 십 여대를 목숨 걸고 뛰어넘는 사람은 매우 희귀했기에, 또한 볼만한 영상매체라고는 TV뿐이었기에 미국인들은 물론 전세계인의 이목을 집중시켰던 것이죠. 하지만 그의 오토바이 묘기만큼이나 신기했던 건 (앞서 언급한 것처럼) 그의 이름이었는데요, 그의 묘기를 지켜본 후 필자는 " '이블 크니블'의 동생은 '이불 작은 이불'일까, 아니면 '담요 큰 담요'일까?"라는, 말 같지도 않은(!) 언어 유희를 동네 아이들과 함께 즐기기도 했지요. 헌데 실제 그의 본명은 '이블 크니블'이 아닌 '로버트 크니블(Robert Knievel)'이었는데 소싯적 좀 놀았던(?) 그가 오토바이를 타고서 하루가 멀다 하고 사고를 치자 사람들이 그를 'Evil Knievel(못돼 먹은 크니블)'이라고 불렀다고 합니다. 그 후 그가 오토바이 묘기를 시작하면서 이 별명을 그의 성씨와 각운이 딱딱 맞아 떨어지는 'Evel Knievel'로 바꾼 것이고요. 여담입니다만 'Evel'은 본래 켈트족 언어에서 유래한 남자 이름으로서, 그 뜻은

'Pleasant(기쁜)', 'Lively(생기 넘치는)'라고 합니다. 'Evil'보다 뜻이 훨씬 좋음은 물론 많은 사람들에게 짜릿함을 안겨 주기 위해 묘기를 선보이는 스턴트맨에게 참 잘 어울리는 이름이라 하겠습니다.

앞서 언급한 것처럼 미국인인 그의 이름은 마치 '이불 큰 이불'이란 한국말처럼 들리는 것이 사실이고요, 만약 그의 이름이 영어가 아닌 토종 한국어였다면 '이불'이라는 단어를 쓸데없이 반복해서 사용한 것이 됩니다. 즉, 그냥 '큰 이불'이라고 해도 될 걸 그 앞에 '이불'이라는 군더더기를 갖다 붙였다는 것이죠. 그런데 우리가 아는 지명 중에도 이런 경우가 꽤나 많은데요, 국토교통부가 2015년에 발표한 올바른 외국어 (지명) 표기법에 따르면 '한강'은 영어로 'Han River'가 아닌 'Hangang River', 그리고 '설악산'은 'Seorak Mountain' 대신 'Seoraksan Mountain'이라고 표기해야 합니다. 어쩌면 외국인이 우리에게 "설악 마운틴이 어디에요?라고 묻는 대신 "설악산 마운틴이 어디에요?"라고 하는 편이 서로 간의 원활한 의사소통에 더 도움이 될지 모르겠지만 'Seoraksan'에 이미 'Mountain'이란 뜻이 내포되어 있기에 'Seoraksan Mountain'이라고 하면 같은 뜻을 지닌 단어를 반복 사용하는 사태가 벌어지지요. 이런 상황은 우리나라 지명뿐 아니라 외국 지명에서도 발생하는데요, 프랑스 파리에 있는 '퐁네프다리(Pont Neuf)'를 예로 들어보면, 'Pont'이 프랑스어로 '다리'이기에 그냥 '퐁네프'라고 하는 게 맞지만 달랑 '퐁네프'라고만 하면 '퐁네프 다리'를 의미하는지 아니면 서울 모처에 위치한 프랑스 레스토랑 혹은 제과점을 가리키는 건지 도통 알 수 없기에 대부분 '퐁네프 다리'라고 부릅니다. 그런데 이렇듯 같은 뜻을 갖는 단어들이 서로 결합하여 만들어낸 단어가 하나 더 있으니, 그것이 바로 이 장의 주인공이면서 한국에서는 아파트 브랜드로도 사용되는 'Metrocity (혹은 Metro city)'가 되겠습니다.

이 'Metrocity'는 보통 '인구 100만 명 이상의 거대 도시'를 의미하고요, 인도네시아, 터키, 홍콩 등지에서는 도심 한복판에 위치한 쇼핑센터의 명칭으로도 사용됩니다. 그런데 이 말의 어원은 'Metro'와 'Polis'의 조합으로 만들어진 그리스어 'Metropolis'로서 이는 '(식민 도시를 다스리는) 거대 도시' 혹은 '수도'라는 뜻입니다. 음, 그렇다면 'Metro'와 'Polis'가 각각 무엇을 의미하기에 이런 뜻을 갖게 된 것일까요? 먼저 'Polis'는 이 책의 앞부분에서 이미 소개했던 'Acropolis(높은 고도에 위치한 도시)'에서처럼 '도시'라는 의미이고요, 'Metro'는 'Mother(어머니)'라는 뜻이기에 'Metropolis'는 어원적으로 'Mother city'가 되지요. 현재 우리는 'Mother city'보다 '모국'이라는 뜻의 'Mother country'라는 말을 훨씬 더 많이 사용합니다만 도시 국가로 구성되었던 고대 그리스에서 'Mother city'는 현재의 'Mother country'와 같은 역할을 했다고 보여집니다. 따라서 'Metropolis'란 (국민 국가가 성립된 근대 이후의) 현대 기준으로는 '모국' 혹은 '(식민지를 거느린) 본국' 등의 의미인 것이죠. 그리고 이 'Metropolis'가 영어로 넘어오면서 뒤에 붙은 '~polis'가 슬쩍 같은 뜻의 '~city'로 바뀌면서 앞서 소개한 것과 같이 '거대 도시' 혹은 '수도'라는 뜻의 'Metrocity'가 되었습니다. 그런데 영어를 모국어로 사용하던 사람들은 이 단어가 너무 길다고 느꼈는지 뒤에 붙은 'city'를 생략해 버리고는 그냥 'Metro'를 '(거대) 도시'라는 뜻으로 사용하기 시작했습니다. 그리하여 'Metro'는 본래의 '어머니'라는 뜻과는 아무런 상관도 없는 '도시 (혹은 도심)'라는 뜻이 되어버렸습니다. 하지만 'Metro'의 불행(?)은 여기서 끝나지 않았는데요, 전세계 최초로 런던에 건설된 지하철을 영국에서는 'London's Metropolitan Railway(런던 도심 철도)'라고 불렀는데 사람들은 이 명칭 역시 너무 길다고 생각했는지 처음과 마지막 단어를 모두 없애버리는 것도 모자라 'Metropolis'의 동의어인 'Metropolitan'에서 'Metro'만 남겨 놓아 이젠 'Metro'가 '지하철'도 의미하게 되었죠. 아, 그러고 보니 이 'Metro'라는 단어의 운명이 참 얄궂네요. 본래는 그 뜻이 '어머니'였지만 슬그머니 이와는 전혀 상관없는 '도시'가 되었다가 어느 순간 '지하철'이란 의미까지 추가되었으니 말입니다. 자, 그럼 이 장의 제목이 왜 "Metrocity, '엄마 도시' 혹은 '지하철 도시', 그것도 아니면 '도시 도시' "인지 이해하셨지요? 이 장의 주인공이면서 한국에서는 아파트 브랜드이기도 한 'Metrocity'는 '거대 도시'란 뜻 외에도 그 어원에 따라 '엄마 도시', '도시 도시', '지하철 도시'라는 세 가지 뜻으로 해석 가능하기에 이런 제목을 붙인 것입니다. ^^.

한편 앞서 언급한 것처럼 한국에서는 'Metrocity'라는 아파트 브랜드가 자주 눈에 띄는데요, 그 뜻처럼 거대 아파트 단지의 명칭으로 많이 사용됩니다. 또한 'Metro'의 의사와는 전혀(!) 상관없이 새롭게 추가된 '지하철'이라는 뜻의 영향으로 지하철역 근처에 위치한 '역세권 아파트'의 'Pet name (본명과는 다른 뭔가 특별한 명칭 혹은 애칭)'으로도 사용되고요. 특히 이 단어는 본래의 뜻처럼 대한민국 제2의 도시에서 가장 큰 아파트 단지의 이름으로 사용되고 있음은 물론 경상남도에서 가장 높은 건물인 55층 아파트의 명칭이기도 하지요. 어원과는 전혀 상관없이 막무가내로 이 뜻 저 뜻을 갖게 된 'Metro'가 이러한 사실들로 인해 다소 위안을 얻었으면 하는 마음 간절합니다.

자, 그럼 여기서 다시 '이불 큰 이불' 아니 '이블 크니블'로 돌아가 볼까요? 앞서 언급한 것처럼 이 분의 직업은 오토바이를 타고 버스를 뛰어넘거나 엄청나게 큰 폭포수 밑으로 뛰어내리는 등 목숨을 건 묘기를 선보이는 스턴트맨(Stuntman)이었습니다만 보통 스턴트맨이라고 하면 영화 주인공 대신 위험한 장면을 연기하는 분들을 가리키지요. 최근 (2024년 5월) '스턴트맨'이 주인공으로 나오는 동명의 영화가 개봉했는데, 이 영화의 원제목은 'The fall guy' 더군요. 제목 자체는 아주 쉬운 단어로 구성되어 있건만 그 뜻이 확~ 와 닿지 않아 사전을 찾아봤더니 'Fall guy'는 'Stuntman'과 같은 뜻이라고 합니다. 그 유래는 대략 두 가지인데요, 첫째는 다른 사람이 저지른 죄를 뒤집어 쓰고 감옥에 간 사람을 의미하다가 점차 스턴트맨을 뜻하게 되었다는 것이고, 다른 하나는 스턴트맨은 영화 속에서 주인공이 폭포 혹은 계곡에서 떨어지는(Fall) 장면 등을 대신 연기하기에 'Fall guy (추락하는 자?)'란 별칭이 생겼다는 주장입니다. 첫 번째 소개한 유래와 관련되는 표현으로 'take the fall for someone'이라는 숙어가 있는데요, 이는 '다른 사람이 저지른 일을 대신 뒤집어 쓰다'라는 뜻입니다. 오래 전 어느 연예인이 자신이 음주 운전을 하고는 사고 당시 옆 자리에 앉아 있던 무고한 일반인 친구에게 뒤집어 씌웠다는 기사가 있었는데, 그 옆자리에 앉아있던 불쌍한(?) 친구가 바로 여기서 얘기하는 'Fall guy'가 되겠습니다. 아, 하지만 경찰 수사 결과 연예인이 범인으로 밝혀졌으니 엄밀히 말하면 그 친구는 'Fall guy'가 아닌 'Fall guy'가 되려다 만 사람이 되겠네요. 어쨌거나 'Stuntman' 혹은 'Fall guy'는 영화 속에서 주먹이나 몽둥이로 맞기도 하고 (오토바이를 타고) 버스를 뛰어넘거나 높은 폭포에서 떨어져 내리기까지 하는데 한국의 아파트 가격은 떨어져 내리기는커녕 계속 올라만 가니 한국 아파트에는 'Rise guy (올라가는 자?)'라는 별명을 붙여주면 어떨까 싶습니다. 그런데 이 'Rise guy'라는 말은 실제로 미국 대학생들이 사용하는 속어로 그 뜻은 '가까워지기 어려운 사람 (주로 남자)'라고 하는데요, 이와 마찬가지로 한국의 아파트, 특히 서울 남쪽의 모 지역에 위치한 아파트는 가까이 하기에는 정말로 너무나 멀고도 먼 존재인 듯 합니다...

제5장. 'Remake'와 'Remark'가 친척이면 'Shoemaker'와 'Shoemarker'도 친척?

"부동산의 새로운 가치를 창조하고(Remaking Value), 주목 받는 삶을 만들어(Remarkable Life), 진정한 랜드마크(Real Landmark)로 성장하겠다." 이번 장은 어느 건설사에서 'Remark(리마크)'라는 아파트 브랜드를 출범시키며 호기롭게 밝힌 포부로 시작해 봅니다. 그럼 바로 이 장의 주제인 'Remark(리마크)'와 위에 함께 소개된 'Remake', 그리고 'Landmark'에 대해서 단도직입적으로 알아보도록 하지요.

제일 먼저 'Remark'의 사전적인 뜻은 '발언', '주목(할 만함)', '(말이나 글로 의견이나 생각 등을) 언급하다'이지만 어원적으로는 '표시하다', '주의를 기울이다'라는 의미였습니다. '반복 (혹은 강조)'을 뜻하는 접두사 'Re'와 우리에게도 친숙한 단어인 'Mark'가 결합되어 탄생한 단어이기에 그 대상이 구체적인 사물이건 추상적인 정보이건 간에 '반복해서(Re) 표시할(mark)' 정도로 많은 주의를 기울인다는 뜻이었지요. 그 후 17세기에는 '알아차리다', '머리 속에 담아두다'라는 뜻이, 그리고 18세기부터는 '(사안 등에 대해) 코멘트 하다', '언급하다', (말로) 표현하다'라는 의미가 각각 추가되었고요. 아울러 이 단어의 형용사형인 'Remarkable'은 '놀랄만한', '주목할 만한' 등의 뜻을 가지고 있으며 일반적으로는 'a remarkable achievement /career/talent'와 같이 '업적/경력/재능' 등을 의미하는 명사와 함께 사용되기에 앞서 소개한 모 건설사의 당찬 포부에 등장했던 'Remarkable Life'라는 표현이 매우 낯설게 느껴지더군요. 그래서 '콩글리시'가 아닌가 했습니다만 2015년에 개봉한 'A remarkable life'란 미국 영화가 있는 것으로 보아 네이티브 스피커들도 사용하는 진짜배기 영어 표현으로 보입니다. 우리말로는 '많은 사람들의 주목을 끌만한 놀라우면서도 감탄사가 절로 흘러나오는 멋진 인생'인 거죠.

그럼 위에 등장한 'Remaking value' 역시 영어를 모국어로 사용하는 사람들이 자주 쓰는 표현일까요? 음, 이의 우리말 번역은 '새로운 가치를 창조한다'로 되어 있습니다만 인터넷이던 사전이던 간에 그 어디에서도 찾을 수가 없으니 이런 영어 표현은 없다고 보는 게 맞을 것 같습니다. 또한 'Remake'의 뜻은 '반복하다', '(기존의 영화나 음악을) 다시 만들다'이지 '창조한다'라는 뜻은 사전에 없고 말입니다. 즉, 'Remake'한다는 것은 기존에 존재하는 것을 다시 만들거나 개량해 내는 것이지 무에서 유를 창출하는 '창조'와는 전혀 다른 개념이라는 거죠. 아마 해당 회사에서는 새로운 브랜드와 관련된 참신한 스토리를 만들어 내기 위해서 'Remark'와 형태가 비슷해 흡사 친척처럼 보이는 'Remake'를 최대한 활용해 보려고 했던 것 같습니다만 만일 저라면 바로 뒤에 'Value'가 따라 나오기에 'Remaking'대신 'Renewing' 혹은 'Recreating'이라고 할 것 같습니다. 또한 'Value'가 가산 명사이기에 복수인 'Values'라고 쓰는 게 맞겠죠.

이제 마지막으로 'Real landmark'라는 표현에 대해서 알아보도록 하겠습니다. 여러분들도 잘 아시다시피 본래 이 'Landmark'는 '땅'을 뜻하는 'Land'와 '표시하다'라는 의미를 가진 'Mark'의 합성어로서 '주요 지형지물', '랜드마크(멀리서 보고 위치 파악에 도움이 되는 대형 건물 같은 것)' 등을 의미합니다만, 현재는 '특정 지역이나 도시를 상징하는 건축물이나 역사적 장소, 혹은 자연 경관'을 뜻하기도 합니다. 각 지역 자치단체가 짭짤한 관광 수익을 올리는데 지대한 역할을 하고 있음은 물론이고요. 미국 주요 도시들을 예로 들어보면, 샌프란시스코에 있는 '금문교(Golden Gate Bridge)', 세인트 루이스의 '게이트웨이 아치(Gateway Arch)', 그리고 워싱턴 DC의 경우에는 '워싱턴 기념탑(Washington Monument)'이 그들의 랜드마크가 되겠습니다. 이처럼 다리나 아치형 기념물, 그리고 기념탑 등과 같은 건축물이 각 도시의 주요한 'Landmark' 역할을 하기에 아파트 역시 랜드마크가 될 자격이 충분하다고 하겠습니다만 굳이 시비(?)를 걸자면 'Real landmark'라는 표현이 조금 부자연스러워 보입니다. 왜냐하면 'Real'은 '위조품'을 의미하는 'Fake'의 반대말로써 'Real landmark'라고 하면 '진정한 랜드마크'라기 보다 오히려 '(위조품이 아닌) 진품 랜드마크'라는 뜻으로 들릴 수도 있기 때문이죠. 따라서 'Real landmark'라고 해도 큰 문제가 없을 수도 있지만 (위의 표현이 신규 브랜드에 대한 포부와 비전에 포함되어 있다는 것을 감안할 때) 좀 더 품위(!)스럽게 'Real'보다는 'Genuine' 혹은 'Authentic'과 함께 쓰는 편이 더 좋지 않을까 합니다.

자, 그럼 여기서 'Remark'로 다시 돌아가 보도록 하지요. 얼마 전 마트에 갔더니 'Shoemarker'라는 브랜드가 눈에 들어오더군요. 해당업체에서는 이 브랜드의 뜻이 '신발을 잘 골라주는 사람' 혹은 '신발을 잘 고르는 사람'이라고 홍보하고 있지만 사전에 이런 단어가 없는 걸 봐서는 아마도 기존에 존재하던 'Shoemaker(신발 만드는 사람)'라는 단어를 조금 비틀어서 새롭게 만들어 낸 단어 같다는 생각이 들더군요. 그리고 이 브랜드를 보는 순간 제가 카투사로 근무할 당시 제 룸메(Roommate)였던 'Shoemaker'

상병이 머리 속에 떠올랐습니다. 보통 서양 성씨는 조상 대대로 살던 지역이나 생계를 위한 직업에서 유래한 것이 많기에 그에게 혹시 조상님이 신발 만드는 일에 종사하셔서 그런 성을 갖게 되었냐고 물어봤더니 본래 독일계인 그의 조상님의 성은 독일말로 '신발 만드는 사람'이라는 뜻의 'Schumacher'였다고 합니다 (이 성을 가진 아주 유명한 카레이서가 있지요). 그런데 2차 세계대전 당시 독일이 미국의 적국이 되면서 독일계 미국인들에 대한 인식이 나빠지자 성을 영어식으로 'Shoemaker'로 고쳤다고 하더군요 (이렇듯 영어가 아닌 이름이나 단어를 영어식으로 바꾸는 것을 'Anglicization'이라고 합니다). 음, 그렇다면 현재 미국 어디엔가에 살고 있을 그에게 제가 질문 하나를 하고 싶습니다. 당신의 성씨와 스펠링 및 발음이 비슷한 'Shoemarker'는 당신의 친척입니까, 라고요. 이 질문에 대해 그는 아마 씩~ 하고 웃으며 그게 뭔 X소리냐고 할 것 같습니다. 그렇다면 저는 이제 아파트 브랜드인 'Remark'의 비전을 만드신 분께 질문이 아닌 제안을 하나 하고 싶습니다. 이처럼 'Make'와 'Mark'가 엄연히 다른 단어인 것처럼 'Remake'와 'Remark' 역시 완전히 다른 뜻을 가진 별개의 단어이므로 단순히 'Remark'와 각운을 맞추기 위해 억지로 비전에 넣은 듯한 'Remake'를 빼버리고 앞서 제가 제안했던 'Renew'나 'Recreate'로 바꾸면 어떨까 하고 말이죠. 그런데 여기에는 중대한 문제가 하나 있습니다. 그건 바로 저는 그 담당자가 누구인지 모르고 그 담당자는 제가 누구인지 모른다는 것이죠. 그럼 그냥 놔둬야 될 밖에 다른 방법이 없겠네요. 그럼 그렇게 하시죠, 뭐, 어차피 월급 받고 하신 일일 텐데요. 이번 장 끝. ^^.

제6장. Define, '디파인'? '드파인'?

"I'm fine, thank you, and you?"

이 영어 표현, 아마 모르시는 분은 안 계시겠죠? 이 말은 명실상부한 대한민국 5천만의 대표(!) 생활영어라 할 만합니다만 제가 미군에서 근무할 때나 영국 유학 생활 중, 또한 20년이 훌쩍 넘게 해외사업을 하던 와중에도 단 한차례도 들어본 적이 없으니 이건 또 어찌된 일일까요? 물론 제가 'How are you (doing)?"라고 했을 때 간혹 상대방이 아주 시무룩한 표정으로 짧게 "I'm fine"이라고 답한 적은 몇 번 있었던 것 같습니다만 말이죠. 일반적으로 우리는 'I'm fine'이 "I am happy and doing great (나 지금 아주 행복하고 모든 게 잘돼)"라고 생각하지만 절대 그렇지 않고요, 보통은 "I am OK (응, 뭐 그냥 그래)" 혹은 "I have no serious problem as of now (아주 심각한 문제는 없어)" 정도의 의미입니다. 아울러 친한 친구들 간의 일상적인 대화에서도 'Fine'은 그냥 밍숭맹숭(?)한 단어라 할 수 있는데요, 만일 새로 산 명품 시계를 친구에게 자랑했을 때 상대방이 "That's fine"이라고 하면 이는 진정 김이 팍~ 새는 대답이라 하겠습니다. 왜냐면 이 말의 뜻은 "응, 뭐 괜찮네" 혹은 "그냥 그냥 봐 줄만 하네" 정도의 듣는 사람 빡돌게(?) 만드는 답변이기 때문이죠. 그럼 상대방의 허영심(!)에 제대로 맞장구 쳐주려면 뭐라고 답해야 할까요? 그러려면 "Wow, that's great"라고 하거나 'great' 대신 'really good' 혹은 'awesome'이라고 해야 합니다. 아울러 영어가 모국어인 사람들은 만일 친구가 "How are you (doing)?"라고 인사를 건네면 대부분 "I'm fine"보다 훨씬 더 긍정적으로 들리는 "I'm good"이라고 합니다. 만약 친구의 인사말에 "I'm fine"이라고 대답하면 "Is everything okay with you(너 정말 괜찮은 거야)?"라며 걱정스레 물어올 지도 모를 일이죠.

자, 그럼 5천만의 생활영어 강의(?)는 여기까지만 하기로 하고, 이제 이번 장의 주인공인 아파트 브랜드 'DE'FINE'으로 넘어가도록 합시다. 관련 업체에 따르면 이 브랜드의 첫 번째 뜻은 'Define(정의하다)'이고, 두 번째 뜻은 접두사 'DE'와 '좋음, 순수함'을 의미하는 'FINE'의 합성어로서, 종합하면 "이 시대에 부합하는 최고의 가치로 새로운 주거기준을 정의하겠다"는 것이라고 합니다. 아, 그리고 이 브랜드의 발음은 '디파인'이 아니라 '드파인'이며, 철자 역시 'DEFINE'이 아닌 'DE'FINE'이라고 하니 유의하시길.

'DE'FINE'에 포함된 'FINE'의 뜻은 앞서 잠시 들여다봤으니 이번엔 접두사 'DE'의 뜻에 대해서 알아보도록 하지요. 본래 라틴어에서 유래한 이 접두사는 '아래로', '멀리', '에 관해', '~으로부터' 등의 의미를 갖고 있으며, 'Defrost(해동하다)', 'Defuse(폭탄의 뇌관을 제거하다)' 등에서 볼 수 있듯이 동사의 반대말을 만들기도 하지요. 또한 '완전히(completely)'라는 뜻도 갖고 있는데 앞서 등장했던 'Define'이 이에 해당된다고 하겠습니다. 이 'Define'의 조상 단어는 프랑스어인 'Defenir'인데요, 이는 'De(= Completely, 완전히)' + 'Fenir(= Finish, 끝내다)'로 분해가 가능합니다. 'Define'의 우리말 뜻은 '정의(定義)하다'로 그 사전적인 의미가 '말이나 사물의 뜻을 명백히 밝혀 규정하는 것'이기에 이 단어의 어원적인 의미 역시 '(추가적인 논란이나 반론이 없도록) 뜻을 명명백백히 밝혀 완전히 끝장내는 것'인 셈이죠. 'DE'FINE(드파인)'의 첫 번째 뜻은 그렇다 치고, 그럼 '드파인'의 두 번째 의미는 'DE(= Completely, 완전히)' + 'FINE(좋음, 순수함)'과 같이 '완벽하게 좋고 순수한' 것일까요? 음, 하지만 앞서 설명했던 것처럼 사전상 'Fine'에 'Excellent or much better than average (평균보다 훨씬 나음은 물론 매우 훌륭한)'라는 뜻이 있기도 하나 일상 생활에서는 대부분 밍숭맹숭하기 이를 때 없는 말이기에 '드파인'의 뜻 역시 다소 맹맹하게 받아들여질 수도 있을 것 같습니다. 이 'De'에 대해서 한마디만 더 보태자면, 프랑스어에서 전치사 'de'는 'Marquise de Pompadour (=the Marquise of Pompadour, 퐁파두르 여후작)'에서와 같이 귀족의 공식 명칭에 사용되기에 그 자체적인 뜻과는 별개로 굉장히 고급스럽게 들리고요, 또한 영어의 정관사인 'the'와 발음이 비슷해 뒤따라 나오는 단어를 강조하는 듯이 보이기도 하지요. 이러한 여러 가지 이유로 'De'를 '드'라 발음하면서 다소 흔해 보이는 '디파인'이 아닌 '드파인'으로 아파트 브랜드를 정한 것이 아닌가 추측해 봅니다. 아님 말고. ^^.

자, 그럼 여기서 'Fine'으로 다시 돌아가 보도록 합시다. 전세계에서 가장 유명한 시트콤인 '프렌즈'에 이 단어가 등장하는 에피소드를 하나 소개해 보면, 시리즈 내내 열애와 결별을 반복하던 'Ross(로스)'와 'Rachel(레이첼)'은 다시 화해하는 듯 하더니 별안간 서로 간의 감정이 격해져 "We are so over(이제 우리는 완전히 끝이야)!"라고 레이첼이 소리치자 로스 역시 이에 지지 않고 "Fine by me(아이구, 누가 할 말을)!"라고 맞받아치지요. 이 "Fine by me"를 "나도 좋아"라고 번역 할 수도 있겠지만 그보다는 "누가 할 말을!"과 같이 이보다 수위가 훨씬 더 센 답변이라고 할 수 있을 것 같고요, 경우에 따라서는 상대방의 말에 동의하는 것은 맞지만 자신의 주체적인 결정이라기 보다는 수동적으로 상대의 의견을 따르는 답변이라 하겠습니다. 가령 나는 이탈리안 음식이 먹고 싶은데 친구들 모두가 중국집에 가기로 결정했다면 이런 경우야 말로 "Fine by me"라고 대답해야만 하는 상황이라는 것입니다. 즉, 그다지 내키진 않지만 대세를 따를 수 밖에 없는 입장인 것이죠. 한편 'Fine'에는 앞서 소개한 뜻 외에도 '(날씨가) 맑은', '(실이나 머리카락이) 아주 가는 (=very thin)', '(알갱이가) 고운', 그리고 다소 생뚱맞게도 '벌금 (혹은 벌금을 물리다)'이라는 뜻이 있기도 한데요, 이처럼 뜻이 아주 많아 고약한 단어의 하나인 'Fine'이 지금까지 우리가 알던 '아주 좋은' 뜻으로 쓰이는 것도 아니라는 것도 함께 기억해 두시기 바랍니다. 이번 장이 'Fine'에 대한 여러분의 인상을 바꾸는 'Defining moment(인생 혹은 역사를 바꾸는 결정적인 순간)'이 되었기를 바라며 이 장을 마치겠습니다.

제7장. Honor, '명예의 전당'은 'Hall of Fame' 아니면 'Hall of Honor'?

"It's my great honor to take part in this class ~ (이 수업에 참석하게 되어 정말로 영광입니다 ~)..."

그가 격앙된 표정과 뻣뻣한 자세로 우뚝 선 채 영어로 자기 소개를 하기 시작하자 강의실 곳곳에서 킥킥거리는 소리가 들려왔습니다. 그 날 처음 오신 원어민 영어 강사님께서는 당황한 표정이 역력했지요. 다행히도 수업은 잘 마무리되었지만 아쉽게도 그것이 그녀와 함께한 마지막 수업이 되고 말았습니다...

지금으로부터 약 30년 전인 1995년, 당시 대학 졸업반이던 저는 영어 공부의 재미에 푹~ 빠져있었지요. 그래서 정말로 빡세게(!) 영어 공부 한번 해보겠다고 동시통역 대학원 입시반에 등록했었습니다. 동시통역에는 별다른 관심이 없었지만 하루 4시간 동안 영어를 스파르타 식으로 공부할 수 있는 곳은 속칭 '통대 입시반' 학원뿐이더군요. 그 곳에서는 리스닝, 영작, 독해, 회화 등을 각각 1시간씩 하루에 총 4시간 동안 수업을 했는데, 다른 수업은 다 괜찮았지만 (원어민) 회화 수업의 담당 강사가 계속 바뀌는 겁니다. 그 이유가 까탈스러운 원장이 실력과는 상관없이 모든 강사들을 다 싫어했기 때문이란 건 나중에 알게 됐고요. 어쨌거나 햇살이 곱던 5월의 그 날도 새로운 여성 강사분께서 오시기로 돼있었는데 어차피 수업 한 번 하고 또 바뀔 테니 한 수강생이 수업 시간에 장난을 좀 쳐보겠다고 하더군요. 그래서 긴가민가하고 있었는데 그는 이름만 얘기해도 될 자기 소개를 일부러 근엄한 표정과 자세를 취하고서는 "(이 영어 회화 수업에) 참석해서 정말로 영광입니다"로 시작해서 계속 엉뚱한 농담을 이어가더군요. 그러자 강사님께서는 저 X이 정말로 저렇게 생각해서 저러는 건가 아니면 나를 놀리는 건가 하면서 굉장히 미심쩍은 표정으로 그 X을 째려(?) 보시더라고요. 저를 비롯한 다른 수강생들은 크게 웃지는 못하고 연신 소리 죽여 킥킥거리고 있었고요. 아무튼 그 분 역시 그 날이 마지막이었습니다.

자, 이번 장의 주인공은 바로 위의 장난꾸러기 수강생이 좋아하던 'Honor'인데요, 이 단어 역시 아파트 공화국인 한국에서는 아파트 브랜드 이름으로 사용됩니다. 그 브랜드는 바로 저희 집 창 밖으로도 훤히 보이는 'Honorsville'이고요, 이 단어의 뜻은 '사는 사람들의 명예가 되는 고품격 주거공간'이라고 합니다. 즉, 그곳에 산다는 것만으로도 거주민들이 명예와 자부심을 느낄 수 있는 품격 높은 아파트라는 것이죠.

한편 이 'Honor'의 어원은 'Dignity(품위)', 'Distinction(탁월함)', 'Triumph(승리)' 등 좋은 뜻이란 좋은 뜻은 다 가진 'Honorem'이라는 라틴어인데, 이 단어가 중세 때 프랑스로 건너가서 'Honor'가 됐다가 다시 영어로 넘어왔다고 합니다. 한 가지 재미있는 건, 영어에서는 아직도 그 형태가 'Honor'지만 프랑스어에서 이 단어는 현재 'Honneur'로 그 모양이 바뀌어 있다는 것이죠. 한국이 삼국시대 일 때 당나라에서 한반도로 건너온 한자(漢字)의 발음 역시 중국에서는 계속 바뀌었지만 우리나라에서는 그 발음이 거의 그대로 보존되어 있기에 당나라 발음을 연구하는 중국 학자들이 한국으로 공부하러 온다고 하더군요. 아마도 그러한 언어의 보편적인 특징이 이 'Honor'에서도 발견되는 것 같습니다. 현재도 'Honor'는 위의 어원과 거의 비슷한 '명예', '체면', '자존감', '(복수로 사용되어) 훈장' 등을 뜻하며, 동사로는 '예배하다', '찬미하다' 등의 의미여서 'Worship', 'Glorify' 등과 동의어입니다. 아울러 법정에서는 통상 판사를 'Your honor'라 부르고요, 골프에서는 바로 앞 홀에서 1등을 해서 이번 홀에서 제일 먼저 티샷을 할 수 있는 '명예'를 누리는 골퍼를 지칭하기도 하지요. 간혹 이를 'Honor'가 아닌 'Owner'라고 하시는 분이 계시던데 'Owner'가 아니라 'Honor'가 맞습니다. 여담으로 골프 용어 중 날아가는 공에 맞지 않도록 주의하라고 크게 소리쳐 알려주는 용어는 'Fore'입니다만 'Ball'이라고 잘

못 알고 계시는 분들도 많죠. 이 경우에는 전방을 주의(혹은 주시)하라는 뜻의 'Fore"가 맞습니다. 하지만 무엇보다도 중요한 건 내가 친 공이 다른 사람 쪽으로 날아 갈 때 'Ball'이던 'Fore'던 간에 큰 소리를 쳐서 불미스러운 사고를 방지하는 것이 되겠습니다.

그리고 'Honor'와 비슷한 뜻을 가진 단어로는 'Fame'을 들 수 있는데요, 이 둘을 굳이 구분하자면 'Honor'가 우리말로 '명예'라면 'Fame'은 '명성'이라고 할 수 있겠습니다. 즉, 'Honor'가 한 개인의 마음 속에서 생겨나 오랫동안 지속되는 자아 의식이라면 'Fame'은 타인의 인정 혹은 평가에 의해 생겨났다가 세월의 흐름에 따라 퇴색할 수도 있는 것이지요. 이와 관련한 영화 제목을 예로 들어보면, 2000년도 작 'Man of honor'는 가난한 소작농의 자식으로 태어난 한 흑인이 미해군 최고의 다이버(Diver)가 되겠다는 꿈을 이루기 위해 온갖 역경을 스스로 극복하는 과정을 그린 영화이고요, 그는 이 제목과 마찬가지로 '자존감이 높고 영예로운' 사람이라고 하겠습니다. 이와 대조적으로 'Fame'이라는 작품은 뮤지컬 영화인데요, 춤, 노래, 연기 등의 분야에서 자신의 꿈을 이루기 위해 고군분투하는 예술학교 학생들의 다채로운 이야기를 다루고 있지요. 예술, 특히 순수예술이 아닌 대중 예술의 경우 자신의 타고난 능력과 후천적인 노력도 물론 중요하겠지만 대부분 일반 대중들로부터 인정을 받고 인기를 끌어야만 그 가치를 인정받을 수 있기에 그 제목을 '명성'이라는 의미의 'Fame'으로 정한 것으로 보입니다. 아울러 미국 프로야구에는 야구 역사에 길이 남을 선수, 감독, 심판 등을 기리기 위해 만들어진 '명예의 전당'이 있는데요, 본인이 원한다고 해서 다 회원이 될 수 있는 것이 아닌 오로지 제3자인 기자들의 투표에 의해서만 회원이 선출되기에 그 명칭이 'Hall of Honor'가 아닌 'Hall of Fame'이 되겠습니다 (그러나 미국 노동청이나 육군에서는 이와 비슷한 '전당'의 이름을 'Hall of Honor'라고 하니 서로 혼용되어 쓰인다고 보는 게 맞을 것 같습니다). .

자, 그럼 여기서 다시 영어 회화 수업에 참석한 것이 자신의 인생에서 매우 큰 영광이라고 너스레를 떨었던 장난꾸러기 학생과 함께 공부하던 그 학원으로 다시 돌아가 보도록 합시다. 이 글을 쓰면서 아직도 그 학원이 있는지 인터넷에서 찾아봤더니, 세상에나, 세상에나, 거진 30여 년이 흘렀는데도 아직도 그 학원이 있더군요! 학원장도 물론 그대로고요. 음, 그렇다면 30년이 넘게 학원을 운영해 온 학원장은 'Fame' 혹은 'Honor', 이 둘 중 어느 하나를 기반으로 아직도 버텨내고 있는 걸까요? 네? 둘 중 어느 하나도 아닌 단지 자신의 마음에 들지 않는다는 이유 하나만으로 여지없이 원어민 강사들을 잘라버렸던 그만의 굳건한 'Pride' 때문에 버텨온 거라고요? 글쎄요, 그럴 지도 모르지만 10년도, 20년도 아닌 30년을 버텼다면 정말로 인정해 줘야 될 것만 같습니다. 이를 밑에서 굳건히 뒷받침한 토대가 'Honor'였건, 'Fame'이었건, 그것도 아니면 'Pride'였건 말이죠. ^^.

제8장. Gentry, 전혀 'Gentle(젠틀)' 하지 않은 'Gentrification (젠트리피케이션)'?

아, 드디어 이 책의 대미를 장식할 마지막 장에 도달했습니다! 그간 개인적으로 크고 작은 우여곡절이 많았지만 어느새 마지막 장에 이르니 거창하게 감개무량까지는 아니더라도 뿌듯한 마음이 드는 건 어쩔 수 없군요. ^^. 마지막 장은 단도직입적으로 바로 시작해 보도록 하지요. 이 장의 주인공은 제가 사는 곳 바로 옆에 새로이 지어진 'Gentry XX'이 되겠습니다. 이리저리 열심히 글의 소재를 찾아 다닐 생각은 안하고 집 주변만 어슬렁거린다고 비난하셔도 할 말 없지만...저의 이러한 게으름을 집 주변의 지형지물을 최대한 활용하는 지혜라 여겨주시면 진정 감사드리겠습니다. ^^.

제일 먼저 이 단어의 뜻을 살펴보면, 어원적으로 'Gentry'는 귀족은 아니지만 사회 상류층에 속하는 사람을 의미합니다. 좀 더 상세하게는 귀족 가문이 사용하는 문장(紋章, the coat of arms, 국가나 가문, 단체, 개인 등을 상징하는 상징표)을 사용할 권리는 없으나 농지를 포함한 많은 토지를 소유한 부유한 집안(과 이에 속한 사람들)을 의미한다는 것이죠. 이처럼 이들은 막대한 땅을 소유한 지주 계급에 속해 있었기에 토지에서 나오는 임대료 및 소작료로 대대로 풍족한 생활을 누린 팔자 좋은(?) 사람들이라 할 수 있겠습니다.

귀족은 아니지만 그렇다고 평민은 더더욱 아닌 이 'Gentry 계급'은 소위 '신사의 나라'로 불리는 영국의 독특한 세습 문화에서 탄생했다고 하는데요, (영국을 제외한) 다른 유럽 국가 귀족의 후손들은 모두 대대로 귀족이 될 수 있었지만 영국에서는 오직 장남만이 귀족 신분을 세습할 수 있었다고 합니다. 그래서 (영국 귀족의) 차남 이하의 후손들은 귀족이 아닌 'Gentry 계급'으로 편입되었고요. 중세 때 이들 대부분은 조상으로부터 물려받은 막대한 땅을 기반으로 한 지주 계급이었지만 점차 상업과 자본주의가 발달하면서 '상업 젠트리 계급'도 출현했고, 아울러 전 세계에게 가장 먼저 시작된 영국의 산업혁명을 통해 거부가 된 '자본가 젠트리'도 등장하면서 젠트리 계급은 급속도로 세를 확장하게 되지요. 그리고 이를 바탕으로 젠트리들은 판사, 정부 관료, 정치인 등의 전문 직종에도 종사하게 되면서 한마디로 재력과 권력을 동시에 갖춘 진정한 상류층으로 부상하게 됩니다. 산업혁명이 활발히 진행되던 당시 이들의 외모를 묘사한 캐리커처를 들여다 보면, 젠트리들은 머리에는 멋진 중절모를 쓰고 손에는 고급스러워 보이는 장갑을 꼈으며, 장갑을 낀 한 손에는 위엄이 넘쳐 흐르는 지팡이를 들고 품위 있어 보이는 외투의 주머니 안쪽에는 외알안경과 회중시계가 들어있고, 다리에 딱 달라붙는 멋쟁이 바지와 수제 가죽 구두를 신고는 자신만만한 표정을 짓고 있지요.

한편 이들 'Gentry' 계급에 속한 여자를 'Gentlewoman', 그리고 남자를 우리에게도 친숙한 'Gentleman'이라고 불렀는데요, 이 두 단어에 공통적으로 포함된 'Gentle'의 뜻은 이들의 사회적인 계급과 특징을 잘 나타낸다고 하겠습니다. 'Gentry'와 친척 관계인 이 단어는 어원적으로 '명문가 출신의'이라는 뜻이었지만 점차 '고급스러운 매너와 성품을 지닌', '품위 있는', '예절 바른' 등의 의미가 추가되었다가 지금은 '부드러운', '다정한' 등을 의미하지요. 어떤 측면에서 이 'Gentry'들은 조상에게서 물려 받은 재산으로 호의호식하는 계급이었기에 물질적인 풍요 속에서 만족스러운 생활을 했을 가능성이 높고요, 또한 행동거지에도 여유가 철철~ 넘쳐 흐르는 것은 물론 가끔씩은 주변의 가난한 사람들에게 관용과 호의를 베풀기도 했을 것입니다. (물론 세상 어느 것에나 예외라는 것이 있긴 합니다만...). 아마도 그래서 'Gentle'이 '부드러운', '다정한'과 같은 뜻이 된 것이 아닌가 추측해 봅니다. 우리말에서도 '젠틀하다'라는 표현은 그 대상에 대한 굉장한 칭찬이기도 하죠.

자, 그럼 이제 다시 저희 집 옆에 새로이 우뚝 세워진 '젠트리 XX'로 되돌아가 보도록 합시다. 본래 그 자리에는 오래되고 낡은 3층 높이의 상가가 있었지만 이제 그

곳에는 웅장한 프리미엄 주상복합건물이 그 위용을 뽐내고 있습니다. 음, 그런데 이런 현상을 '젠트리피케이션(Gentrification)이라고 한다는군요. 어원적으로 보자면 이 단어의 뜻은 '젠트리화(化)하는 것', 즉 '젠트리가 되는 것'이므로 언뜻 하층민이었던 사람이 상류 사회의 일원이 되던가 혹은 많은 땅과 돈을 가진 부자가 되는 현상을 일컫는 것 같지만 이와는 전혀 상관없이 '도심의 슬럼가가 고급 주거/상업 공간으로 개발되면서 새로이 이주한 중상류층에 의해 원주민이 밀려나는 현상'을 의미한다고 합니다. 우리말로는 '도시재활성화'라는 그럴듯한 명칭으로 번역되기도 합니다만 이는 한마디로 우리가 흔히 '(도심) 재개발'이라고 부르는 현상인 것이죠. 미국의 모 일간지에서 " 'Gentrification' is a euphemism for market cruelty (젠트리피케이션은 자본주의의 비정함을 에둘러 표현한 용어이다)"라고 했을 정도로 이는 자본주의 사회에서 '부익부 빈익빈'을 심화시키는 대표적인 사건인 동시에 자신의 의지와는 전혀 상관없이 정든 집을 떠나야만 하는 빈민층에게는 정말로 피눈물 나는 일이라고도 할 수 있을 것입니다.

그런데 바로 이 순간 한가지 의문이 가슴 속에서 모락모락 솟아납니다. 그것은 바로 '젠트리가 되는 것'과 '재개발'이 대체 무슨 상관이기에 'Gentrification'이 위와 같이 무시무시한(?) 뜻을 갖게 됐냐는 것이죠. 이의 배경에 대해 간단히 설명 드리면, 본래 많은 농토를 소유한 채 농촌 지역에 거주하던 젠트리들이 점차 상업 및 자본가 젠트리가 되었고 그 이후에는 점차 귀족들이 장악했던 정치가, 정부 관료, 법관 등의 직업을 갖게 되었다고 앞서 말씀 드렸는데요, 이들과 같은 고위 전문직들은 주로 왕궁과 국회, 법원, 정부 청사 등이 밀집한 도심으로 출퇴근을 해야 했기에 주거지를 점차 도심으로 옮겼다고 합니다. 하지만 이들이 도심 슬럼가에 위치한 초라한 건물에서 살 수는 없는 노릇이기에 이를 재개발하면서 이를 '젠트리피케이션', 즉 '도심의 젠트리화'라고 불렀으며, 결과적으로 원주민들은 본래 살던 도심에서 쫓겨나 생면부지의 땅으로 이주해야만 했기에 그러한 뜻을 갖게 된 것이죠. 한편 이러한 '젠트리피케이션'의 과정이 젠트리의 영국 의회 진출이 확대되면서 기존에 의회를 장악했던 귀족들의 권한이 축소되는 현상과 비슷하다는 이유 때문에 'Gentrification'이라고 불리게 되었다는 주장이 있기도 한데요, 도심의 도시 빈민은 물론 의회에서 귀족까지 몰아낸 젠트리들, 정말로 대단하다고 하겠습니다.

젠트리피케이션을 통해 도시 재개발 및 생활 환경이 개선되는 장점이 있기도 하지만 고유한 골목 문화권을 형성했던 가로수길과 같은 명소가 이제는 외부인과 거대한 상업 자본이 몰려들면서 그 지역 고유의 특성과 개성이 사라지는 부작용 역시 크다고 할 수 있겠습니다. 아무쪼록 원주민와 이주민, 그리고 고유 골목 문화와 새로운 상업자본이 만들어 내는 대중 문화가 제대로 된 조화를 이루어내 우리가 사는 도심이 보다 더 멋지고 살기 좋은 곳이 되기를 바래봅니다.

참고 서적 및 사이트

유럽의 주택, 임석재 지음, 북하우스 발행

https://www.iheadlinenews.co.kr/news/articleView.html?idx
no=1003

https://friends.fandom.com/wiki/Amanda_Buffamonteezi

https://www.youtube.com/watch?v=SlCApAgyayI

Wikipedia 영문, 한국판

교양영어사전, 강준만

http://www.weeklyhk.com/news/view.php?idx=25765

https://www.incheonilbo.com/news/articleView.html?idxno
=1229358

걸어 다니는 어원사전, 마크 포사이스 지음

나쁜 그림, 유경희 지음

https://www.joongang.co.kr/article/19748224#home

Collins Dictionary

https://www.imaeil.com/page/view/1999110415105573253

https://onthetudortrail.com/Blog/resources/tudor-places/a-brief-introduction-to-hampton-court/

https://www.houseofnames.com/hightower-family-crest

https://www.hankyung.com/life/article/2022103168671

https://www.theoi.com/Titan/TitanHyperion.html

https://www.findmypast.co.uk/surname/sharp

https://www.hankyung.com/article/201603283517e

https://eduon.com/uclass/uclass_player_view/33/2038/?autoplay=

http://www.financialreview.co.kr/news/articleView.html?idxno=22078

https://www.joongang.co.kr/article/19154313#home

http://www.aptn.co.kr/news/articleView.html?idxno=10508
9

아파트 속 과학, 김홍재 지음